集英社文庫

リアルワールド

桐野夏生

集英社版

目次

リアルワールド

第一章　ホリニンナ

眉毛を描いていたら、光化学スモッグ注意報が聞こえてきた。夏休みに入ってから毎日のことなので、あたしは驚きもしなかった。「皆様にお知らせいたします。ただいま、光化学スモッグ注意報が発令されました」。やたらゆっくりした女の声がスピーカーから流れ、続いて心優しい恐竜の鳴き声みたいなサイレンが響き渡る。

　発令されるのはたいがい昼前で、あたしが塾に出かける寸前のことが多い。けど、注意報が発令されたところで、誰もどうもしやしない。へえ、またかい。そんな感じ。それより、この街のいったいどこにスピーカーが隠されているのだろう。サイレンが鳴るたび、あたしはそっちの方がよっぽど不気味で不思議だと思う。

　ここは杉並区の外れにある立て込んだ住宅街だ。昔はゆったりしていたらしいけど、古い家は壊されてちまちました二世帯住宅やアパートに変わったし、あたしが小さい頃に梅林や畑だったところは、綺麗だが異様に狭い住宅が幾棟も建って、何とかタウンというカッコ良さげな名で売りに出された。見栄えのする家族が沢山移り住んで来て、休日は外車や犬を連れた人が行き交うようになった。元は農道としか思えない細いアスファルトの道が縦横斜めに走り、二軒隣の家は買ったベンツを車庫入れに苦労した挙げ句に手放したほどのせせこましい街だというのに。

ぶおーっ、ぶおーっ。サイレンが続く。その間隙《かんげき》を縫って、隣の家からがちゃんと何かが割れる鋭い音がした。頰《ほお》と頰を寄せ合うように家が並んでいるから、窓を開け放していれば、夫婦喧嘩《げんか》の怒鳴り声や電話のベルなんかが聞こえてくる。窓ガラスでも割ったのだろうか。七年前、斜め向かいの家に住んでいた男の子がサッカーボールを我が家に蹴り入れて、仏壇の置いてある部屋の窓ガラスを割ったことがあった。その子はシカトしたまま、関西の学校に転校してしまった。取りに来ないサッカーボールが長い間、軒先に転がっていたのを覚えている。

それはまあともかくとして、その音にそっくりだったのだ。小さな子供なんていない隣の家からそんな音が聞こえるということ自体が変だったし、何とはなしに不穏な感じがした。泥棒が侵入したのかもしれない。あるいは強盗か。あたしはどきどきしながら耳を澄ました。しかし、音はもう何もせず、静まり返っていた。

隣は一昨年引っ越して来た。我が家との交流はほとんどない。回覧板を回す時にインターホンを押すと、愛想笑いをしたおばさんが出て来るくらいのもんだ。はっきりわかっているのは、両親と、あたしと同じ歳の男の子がいることだけ。おばさんは時々、竹箒《たけぼうき》で家の前の道を掃除している。銀縁の眼鏡、お茶碗にべっとりと跡が付きそうな真っ赤な口紅。そのふたつを取ったら、きっとあたしはおばさんの顔がわからないだろう。

おばさんは、あたしの制服姿を見て「お嬢さん、高校生？」と聞いたことがあった。はい、と答えたら、「うちの息子もそうなのよ」と有名な進学校の名を告げ、嬉しそうに笑っていた。うちの母親はその話を聞いて、「けっ」と嫌な顔をした。確かに自慢したいのがばればれだったし、あたしが偏差値的にはたいしたことのない私立女子校に通っているから馬鹿にされたと感じたのかもしれない。でも、あたしは隣のおばさんて単純だなあと思い、そんな母親の子供はさぞかし恥ずかしいだろうなと隣の息子に同情もしたのだった。

「うちの息子」は、ひょろっとしていて猫背。目が小さくて陰気。ミミズみたいな奴だった。のったらくったら首を曲げて歩き、覇気というものが全く感じられない。あたしと駅で会っても、目を合わせようともしないで建物の陰に行く。暗がりに潜んでいれば、この世のすべてから隠れられるとでもいった風に。そこんとこは、会社員らしい父親とそっくりだった。父親も、あたしなんかこの世に存在していないかのような無視の仕方をする。夕刊を取りに行って、ちょうど帰って来た父親と目が合ったことがあった。あたしが会釈すると、父親はふっと目を泳がせて何も見なかった顔をした。

「あのおっさんは何をしてる人かね。アスコットタイなんかしちゃって気障《きざ》だ」

あたしの母親がこう評していたことがあったが、アスコットタイなる代物《しろもの》がどんなもんだか、あたしにはどうでもいいことだった。感じのいい奴、悪い奴。世の中はどっちかに二分されているだけなんだから。つまり、隣の家の奴らは圧倒的に感じが悪い部類に属していた、ということになる。お祖母《ばあ》ちゃんが生きていれば、近所からあれこれ取材してきただろうが、あたしの母親は隣人に興味なんかないから、隣家に関する情報は進学校に通うミミズみたいな息子と、真っ赤な口紅とアスコットタイ程度のものしかなかったのだ。

それにしても、今の音は何だったのだろう。隣の家に泥棒が入っても全く構わないけど、うちには来てほしくない。あたしは急に慌てた。両親とも仕事に行き、思いっきり寝坊をした高三のあたしが、一人でのんびりとカップラーメンを食べて塾の夏期講習に出かけるところなのだから、逃げ込んで来られても困る。居直り強盗がいっちゃん怖い、とうちの父親が言っていたではないか。

またしても、がちゃーんという音。今度のは最初より大きく、鼓膜に直接響いた。びびったあたしは、左の眉を描き損ねてしまった。描き直すべきか。鏡を見て迷っていたら、テーブルに置いてあった携帯電話が振動した。

「あーだー」こんな挨拶をするのはテラウチしかいない。「オレオレ。オレだよ」

「今ね、隣の家から変な音が聞こえてきてさ。泥棒かもしれない。あたし、どうしたらいいかな」

テラウチは聞いてなかった。

「あたしさあ、森鷗外《もりおうがい》の論文さあ、百枚超えそうでさあ。てのは、冗談でさあ。でも、結構うまくいくかもしれねーとか思ってさあ」

テラウチは一分くらいかけて、たらーっと喋《しゃべ》った。

「テラウチさん、テラウチさん。隣の家に泥棒入ったかも」

「あだー」

テラウチは驚いたという風に、挨拶を間投詞に変えた。テラウチは顔は可愛いが、声がものすごく低くてクールな物言い、という特徴があり、友人の中じゃテラウチが一番頭が良くて面白いとあたしはいつも感心していた。

「今ね、ガラスが割れるような音がしたんだよ。強盗だったりして」

「夫婦喧嘩じゃないんですかー」

「昼間っから夫婦喧嘩かよ。隣のオヤジは会社だもん、きっと」

「じゃあ、お母さんがキレて茶碗割ってるんだ。間違いないぞー」テラウチは断言した。

「うちのお母さん、お父さんの母親と喧嘩した時、キレまくってお父さんやお祖母ちゃんの茶碗や湯飲み、全部二階から捨てたことあるもん」

「過激だね、あんたの母親」

「すごいぞー。二階から庭石目がけて投げたんだよ、妙に冷静に。お父さんはユキナリの赤ちゃんの時のお茶碗で御飯食べたんだから。ねえ、それよっかトシちゃん、論文やったあって聞いてんだよ」

トシちゃん。あたしの名前は山中十四子《やまなかとしこ》という。十月四日生まれなので付けられた。何も考えていない証拠みたいな名だが、滅多に同名にお目にかからないのであたしはそれほど嫌いじゃない。でも、テラウチは和子という名を死ぬほど嫌っている。秋田のお祖父《じい》ちゃんが勝手に付けたのだそうだ。皆名前や綽名《あだな》を呼び合っているのに、テラウチだけは「テラウチさん」と姓を呼べ、と言う。

「んなもん、まだやってないよ」

高三にもなって、現代国語の教師から『舞姫』について論文を書け、という宿題が出ているのだ。テラウチは受験やテストや提出物に関してはすごく要領がいい。特に感想文なんか、解説を丸写しして、ばれないように、かつうまく仕上げてしまう特技を持っていた。あたしはどっか律義なところがあり、解説を写すのは狡《ずる》いんじゃないかと考える馬鹿正直さが裏目に出て時間もかかるし、テラウチほどには成績も良くない。でも、テラウチが狡いと思ったことはなく、そんなに要領良くやってると、いずれ何か大きな罰が待っているのではないか、という漠然とした心配の方が強かった。つまり、あたしはテラウチを本当に好きなのだ。テラウチは低い声でぼそぼそ言った。

「あたしさあ、舞姫の登場人物の精神分析やろうかと思っててさあ」

「エリスも？」

「あだー、あいつは駄目だー。カタカナだから。太田だけー」

何のことを言っているのかさっぱりわからなかった。

「ちげえよ」違う声に代わった。ユウザンだった。「こいつさ、姓名判断で精神分析するんだと。こんだけ宿題舐《な》め切ってる奴もいねえよ」

「ユウザンもいたんだ」

あたしの声は少し沈んだと思う。テラウチとユウザンが一緒にいるということが何となく気に入らなかった。要するに、疎外感って奴だ。あたしはテラウチがとても好きで、ユウザンはちょっと苦手だ。ユウザンはエキセントリックなくらい、好悪がはっきりしている。例えば、ユウザンは煙草を吸う人間をクズだと軽蔑《けいべつ》している。煙草を吸う人間から見たら不当なくらいに激しく。が、いったん好きになった人間は贔屓《ひいき》の引き倒しじゃないかと思えるほど、とことん弁護する。極端過ぎて読めない女、それがユウザンなのだ。

「宿題、一緒にやろうとか言ってさ。小学生じゃないっつーの」

「それはおめーだろ」

あたしの突っ込みにユウザンはへへへと笑った。ユウザンの声はテラウチよりもっと低く、制服を着ると下手《へた》な女装をした男みたいになる。性格も喋り方も男らしい。けど、名前は貝原清美《かいばらきよみ》で女らしい。ユウザンて綽名は勿論《もちろん》、あのカイバラユウザンから取られた。中学の時、長い間入院していた母親が病死して、父親と祖父母と四人で暮らしている。あたしとユウザンだけが一人っ子だ。ユウザンは母親が死んでから、ますます男らしさとエキセントリックさに磨きがかかった気がする。テラウチが『ユウザンてレズじゃねーか』と言ったことがあるけど、あたしにはぴんと来なかった。たまさかレズだとしても、あたしがユウザンの好みじゃないからわからないのだろう。電話を握り直す、むぎゅっとした音がして、テラウチに代わった。

「あだー。つーワケ」

「それよっかさあ、隣の家のこと、ほっといていいと思う？」

「何かあったって、あんた、他人《ひと》のうちのことじゃないの。そうでしょ、あんた」

テラウチのクールさにあたしは勇気を得た。

「そうだね。じゃ、あたし塾に行くから。また電話する」

お邪魔しましたあ、と電話は切れた。あたしはエアコンを消し、もう一度鏡を見て左の眉が気に入らないと思ったが、時間がないので出かけることにした。ジーンズにノースリーブの黒いシャツ。どうってことない格好がつまらなくもあり、安心するところもある。

外は目が眩《くら》むほどの暑さだった。あたしは、うちから歩いて二分のところに出来た東京靴流通センターのバーゲンで買った新しいサンダルを履き、玄関前に置いてあるチャリの鍵を外した。チャリのハンドルもサドルも太陽に炙《あぶ》られて、触ると火傷《やけど》しそうだ。隣の家の玄関ドアが乱暴に閉まる音がした。鉄製の門扉《もんぴ》がぎっと軋《きし》む。誰が現れるか。あたしは不安と期待を籠《こ》めて振り返った。紺のTシャツにジーンズ姿のミミズだった。Tシャツの胸元には白いナイキのマークがひとつ、控え目に入っていた。見覚えのある黒いデイパックを担《かつ》いでいる。良かった、泥棒じゃないんだ。こいつが家に居たんだ。あたしはほっとしてミミズの方を見た。目が合った。ミミズは何だか楽しそうでときめいた顔をしている。これからデートに行くんだぜ、とでもいう風な。その表情がいつものミミズに似合わない気がして、あたしは素早く目を伏せた。見てはならないものを見たような変な気持ちだった。

「暑いっすね」

ミミズが初めてあたしに口を利いた。あたしは曖昧《あいまい》に頷《うなず》いた。ミミズはこんな奴だったのか。暑いっすね。時候の挨拶なんか交わしちゃってさ。それも同じ歳のあたしに。ミミズは鼻歌を歌い、眩《まぶ》しそうに太陽を仰ぎ見ている。ミミズという綽名がそぐわないほど元気に溢《あふ》れていた。あたしは思わず聞いた。

「さっき、お宅から大きな音が聞こえてびっくりしたんだけど」

ミミズはまだ目を細めて太陽を見上げたまま、首を傾《かし》げた。

「さあ。何かの間違いじゃないすか」

「そうですか。すみませんでした」

ミミズは遠足にでも行くような弾んだ足取りで歩きだした。恥を搔《か》かされた気分になったあたしはチャリに跨《また》がり、バッグを前の籠《かご》に突っ込んで後ろも見ずに駅に向かったのだった。すぐにミミズを追い抜いたが、挨拶もしなかった。

塾は、あたしの住んでいる私鉄駅から四つ目、中央線と交わる大きな駅の南口にある。ミミズのことを、いや隣家の音について考えながら改札を出たら、アンケート野郎にとっ捕まってしまった。いつもなら注意して三十メートル前から避けるのだが、うっかりしていた。アンケート野郎は白いシャツに黒いパンツという一見真面目《まじめ》そうな格好をして、流行の黒い縁の眼鏡を掛けていた。

「学生さんですか」

「急いでいるんですけど」

「時間は取らせませんから。大学生？」

「そうです」

「四年制、短大？　どこの大学」

「四年制。東大教養学部」

あたしは立ち止まって、さも面倒臭いといった顔で答えた。男は一瞬驚いたが、東大、と汚い字でアンケート用紙に書き込んだ。男の頬に冷笑が浮かんだ。あたしが自慢していると思ったのだろう。あるいは嘘を見破ったのか。

「名前聞いてもいいですか」

「ホリニンナ」

「どういう字？」

「お堀の堀に、仁和寺《にんなじ》の仁和」

ニンナジって何だっけ。男が呟《つぶや》いたのを潮《しお》に、あたしはさっさと逃げだした。東大生を名乗ったのは初めてだった。いつもはエセＯＬになったりするんだけど、今日の攻撃的な気分やダサイ服装は東大生だった。アンケートや会員証の登録やお店の顧客名簿は、全部エセ名前とエセ住所で答えた方がいい。これはテラウチに教わった。あまり嘘を吐《つ》き慣れないので最初はうわずったもんだけど、「ホリニンナ」という名前でずっと通しているうちに、あたしの第二の名前みたいに心も体も馴染《なじ》んでしまった。あたしたち四人のグループは、皆もうひとつの名前を持っていて、カラオケボックスの会員証もエセで登録している。黙っていたってコンピューター登録されてしまうんだから、こっちも武装しないといけない。でないと、大人にいいようにされる。というのがテラウチの主張だった。

今度は薄気味悪い女があたしにくっついて来た。わざと急ぎ足にすると、話すきっかけを窺《うかが》って舌舐めずりしながら、慌てて脚をもつれさせた。やけに量の多い黒髪をおかっぱにして無化粧。鼻の下に夥《おびただ》しい汗を掻いている。色の褪《あ》せた黒いブラウスの腋《わき》に、白い汗染みが丸く付いていた。夏でこの暑さだから当たり前って言えば当たり前だけど、向こうに押しやりたいほど暑苦しく不快だった。

「あのう、占いの勉強をしている者ですが、ちょっとお時間よろしいでしょうか」

占いの勉強。最近、多いのはこいつらだ。無料のはずがないではないか。あたしは鏡の前で練習した不機嫌な顔を作った。

「今急いでいるんで」

「あ、すみません」

占い女はあたしの顔を見て目を逸《そ》らし、次のカモを見付けようときょろきょろした。若い女が、駅の周辺を何事もなく突破するのは難しい。母親に話したら、溜息《ためいき》を吐いて言ったものだ。「昔はそんなことなかったのにね。危険がいっぱいじゃないの」。その通りだ。現代日本の東京という街において、あたしらは若い女というだけで、商売のカモだし、商品開発の指針になるべき存在、つまり「マーケットリーダー」とかいうものでもあるらしい。そいつらはただであたしらの意見を参考にしようとする。それだってカモってことじゃないか。

それに、ストーカーや痴漢なんかの被害者にも容易になり得るし、若い男やオヤジからは性欲の対象として「カノジョー」とか「幾ら」とか聞かれる。

あたしは全くと言っていいくらい経験がないけど、テラウチなんか小学校の時から電車通学だったから痴漢に遭いまくったという噂《うわさ》だ。それは今でも同じだ。テラウチはあんなに面白くて、危険なほど頭がいい奴なのに、顔が可憐《かれん》なものだから、大人の男から学生までがテラウチを舐めてかかる。テラウチが男に興味を示さず、時々暗い顔になって「あだー」と落ち込むのは痴漢のせいだ、とあたしは固く信じて疑わない。世の中は変に捻《ねじ》れている。そして、腐っている。これは本当だ。

あたしは「私立難関コース・英語」の教室に駆け込んだ。少し遅れていたから焦っていた。この塾は、遅刻者は中に入れないという方針だからだ。

学生風の男二人女二人が黒板の前に並んで生徒に笑いかけていた。ひと目で教師でもなければ生徒でもないとわかった。教師ならもっと年上でダサイし、生徒ならもっと幼くて自信がない。そして、ここの教師も生徒も、同じものに欠けているからだった。親愛の情。そんなものが塾にある訳がない。だが、四人の男女は自分たちがこの殺伐とした塾の熱く流れる血潮だと言わんばかりに、終始笑みを絶やさなかった。白いブラウスの襟を灰色のジャケットの上に出した、リクルートスーツの女がいきなりタメロを利いた。

「みんなあ、もう夏休みなんだよ。今、この時に頑張れなかったら駄目だよね、諦《あきら》めないでやってみてえ。まだ大丈夫だよう。八月は始まったばっかりじゃん。つべこべ言わないで、ともかくやるだけやってみようよ。今そうしなかったら、来年の春に笑うことなんかできないよ。わかるよね。あたしなんかね、高三の春に志望校は絶対無理だ、諦めろって言われたの。でも、夏休みは血反吐《ちへど》を吐《は》くまでやったよ。ううん、オーバーじゃない。ほんと、あんな頑張ったことって人生で初めて。だから立教に受かったんだと思うの。ね、みんな。そういうのってすごい自信になるよ。人生の自信。だから、死んだ気で勉強してみなよ」

女は言葉を切って、ぐるっと生徒を見渡した。

「じゃ、これから一人ずつ回るから、質問とかあったら気軽に聞いてね」

この塾にはマイチューターとかいう制度が導入されていて、現役大学生が教室の中をうろちょろしている。塾の卒業生という触れ込みだけど怪しいものだ。彼らは短い休み時間にこうして教室を回っては、生徒に「活入れ」するのが仕事なのだ。だが、笑みがこびりついていて、ディズニーランドの、歯を剝《む》き出して笑っている着ぐるみ人形を彷彿《ほうふつ》とさせた。本物の大学生がいるということで、受験の雰囲気を盛り上げる役目。明るくするお仕事。やっと席に着いたあたしのところにも、先程のリクルートスーツのお姉さんがやって来た。

「ええと、名前は山中さんだよね」お姉さんは手元の資料を見た。「英語ちょっと弱いね、偏差値52かあ。もっと頑張らなくちゃ難しいぞ。どう、勉強してる？」

あたしは皆の前で偏差値を言われたのでむっとした。

「あたし、ホリニンナです」

お姉さんは怪訝《けげん》な顔をした。

「堀さんてこのクラス取ってるの」

「はい、ちゃんと取ってます」

あたしは澄まして机の上に電子辞書を置いた。

「あ、そう。変だなあ」お姉さんはうろたえている。「じゃ、資料探しておくよ。志望校はどこなの」

「上智とか慶応とか」

「英語やらなくちゃね。堀さん、英語の偏差値幾つ？」

「58かな」と嘘を吐く。

「最低でも、あと5は欲しいよね」お姉さんは真剣な顔であたしの目を覗《のぞ》き込んだ。少し出目気味の目玉にコンタクトレンズが張り付いているのが見えた。「だけど、諦めることないよ。死ぬ気でやれば何とかなるから。ともかく英単、英単だよ。単語覚えるしかないの」

死ぬ気ってどういう状態を指して言うんだろう。血反吐を吐いたなんて言ってるけど、本当かよ。受験くらいで死んでもいい、なんてとても思えない。それがあたしの弱点のひとつだった。前の席に座っている若禿《わかはげ》の男の子は、白いシャツにネクタイをしたお兄さんに肩を叩《たた》かれていた。

「偏差値もう少し上げてみろよ。お前ならできるよ」

若禿は照れ臭そうに、はあ、とか適当に返事をしている。

「俺だって毎日十二時間勉強して、受験までに10は上げたぞ」

「はあ、そうすか」

毎日十二時間もやって10しか上がんねえのか。あたしは聞くともなしに前の席の会話を耳に入れ、暗くなっていた。その間に、お姉さんはあたしの後ろの席のおとなしそうな女の子のところに行ってしまった。あたしはうんざりした。こういうのって、アンケート取りや占い勉強中の女たちに勧誘されるのとたいして変わりはないなって思ったからだった。

みんなにこにこしているけど、心の中ではあたしのことなんかどうでもいいと思っている。お金のためにやっているからだ。あるいはニクタイが目的、とか。あたしはテラウチと違って、露骨にニクタイを目的にされたことはないけど、自分が常に何かに狙《ねら》われているって感覚はよくわかる。うっかり他人の誘いや甘言に乗れば金を取られ、損をして痛い目に遭う。それは、よっぽど引き締めて目立たないように生きていかないとすぐ苛《いじ》められる、ということに少し似ている気がする。なぜなら、痛い目に遭った方が馬鹿だって言われて笑われる世の中だからだ。狙う方や苛める方は悪くないのだろうか。そんなはずはないのに、皆がそのことを忘れている。

あたしたちが持っている危機感は、あたしの母親にも通じない。あたしの母親は他人の気持ちを考えたり、正義とは何かとか、まだそういう美しいものを信じている世代だ。母は四十四歳で、友達と二人で介護派遣業をやっている。自分でも介護に行くから、福祉とか老人問題なんかに興味があるし、娘のあたしが言うのも何だが、そう悪くない人だと思う。馬鹿じゃないし、肝腎《かんじん》のところでは気も強くて人も好《よ》い。いつも本質的で、言うことも間違っていない。

パソコンソフトの会社に勤める父親も酒ばかり飲んでいてほとんど家にいないけど、生真面目でいい人だと思う。でも、あたしの母親や父親でさえも、自分の子供が小さい時から商業主義に侵食されて、無知な人間は食い尽くされてしまうという怖れを抱いている事実を、全然実感できないでいる。いや、把握すらしていない。

母はいつもあたしに「どうしてあんたたちは傷付くのを怖がるの。たいしたことないじゃない」とか説教するけど、自分が経験してきた「傷付き方」しか想像できないから、今の子供がどれだけ脅威に囲まれていて、騙《だま》されたり、苛められたり、などの「傷付く」ことどもが、ものすごいダメージだってことがわかっていない。

例えば、あたしたちは子供の時から、家庭教師はいかがですかという電話や、無料進学相談を騙《かた》った塾からの勧誘なんかに晒《さら》されてきた。成績が上がるかと期待しても甘い。結局は自分の問題なのだ。街を歩けばキャッチセールスや呼び込み。いいですよ、と頷くとあっという間に商品を買わされる。うっかり住所や名前を教えればコンピューター登録されて何かのリストに載る。オヤジに肩を叩かれて、何もわからないで付いていけばホテルに連れ込まれる。ストーカー被害に遭って殺されるのだってほとんど女。援助交際がマスコミで騒がれた頃は、あたしら女子高生の商品価値は過去最高だったはずだ。

くっだらねえ。ほんっとに、くっだらねえ。だから、あたしはホリニンナになる。でなければ、自分を守れない。自分でいられない。ささやかだけど、あたしにできる最低限の武装。あたしは薄っぺらなテキストを団扇《うちわ》代わりにして顔に風を送りながら、そんなことを考えていたのだった。

眠気と戦う授業がやっと終わった。あたしはテラウチに電話をして馬鹿話をしようと携帯を探した。だが、バッグの中にはなかった。家を出る時にテラウチと話したから、そのままテーブルの上に置き忘れてきたのだろう。がっかりしたけど、まあいいや。帰宅を急ぐ生徒たちと一緒に塾の廊下をぞろぞろ歩いていたら、後ろから声をかけられた。

「トシちゃーん」

学校で同じクラスのハルだった。ハルはクラスでもあまり多くないコギャルグループに属している。夏休みに入って一層陽に灼《や》け、髪が金髪に近い色に変わり、爪によく目立つ真っ白なパールのマニキュアをしていた。目の上にブルーのシャドウを厚く塗って大袈裟《おおげさ》な付け睫毛《まつげ》。ピンクの水玉模様が散っている赤のキャミワンピという派手な服。ハルはコギャルでも何でもなかった中学時代から、あたしと比較的仲が良かった。高一の時、ハルに誘われて大学生とカラオケに行ったこともある。

「八王子《はちおうじ》からわざわざ来てるの？」

「そうだよ」ハルはとても受験生と思えない爪で携帯電話のストラップを触った。「ここのカコモンマスターコースがなかなかいいって聞いたから」

ハルの格好を見て、大デブで額に汗をたらたら流している男子生徒が小馬鹿にした風に露骨に嘲笑《あざわら》った。バーカ、お前はハルの覚悟や根性なんて、何ひとつわかってない癖に。

「あたしは私立難関コースの小論文と英語」

「じゃ、頑張って。また会おうねえ」

ハルは厚底サンダルを履いた脚でおっかなびっくり、塾の急な階段を下りて行った。男の生徒たちがハルの出現に驚き、両端に寄った。ハルは臆病《おくびょう》な女王のように及び腰で真ん中を下り、踊り場からあたしに手を振った。あたしたちがエセ名前を持つみたいに、ハルたちの扮装《ふんそう》も一種の武装なのだ。ハルはコギャルだのヤマンバだのと言われる種族に入り込むことで、面白がられ、何をしても許される場所を獲得したんだと思う。ハルもそうだけど、コギャルたちは日焼けサロンで有害な紫外線を浴びてこんがり膚《はだ》を灼き、油性ペンでアイラインを描き、持ち上げた睫毛は工作用の糊《のり》で固定しているのだ。こいつらほど、てめーのニクタイを遊んでいる奴らもいない。むしろ、その扮装の激しさに距離を感じることもあるのがあたしのふたつ目の弱点なのだった。あたしは普通の服装、つまり目立たぬ服装でいたいからだ。

顔に汗が噴き出した。駐輪場に置いた自転車が影も形もなくなっていた。誰かに盗られたに違いない。たいしていい自転車でもないのに、よりによってどうして、あたしの自転車を選んだのだろう。鍵も掛けたのに。あたしは広い駐輪場を必死に探し回ったが、自転車はどこにもなかった。暑さと失意でがっくりして、あたしはコンビニで涼んだ。ウーロン茶のペットボトルを買い、照り返しの強い道を歩きだした。駅から十二分の道のりを歩くうちに、買ったばかりのサンダルで靴擦《くつず》れが出来てしまった。忌々《いまいま》しく思いながら、やっと家の前に辿《たど》り着く。隣の家の二階の窓に夕陽が反射してオレンジ色に輝いていた。窓ガラスなんかどこも割れた形跡なんかないじゃん、変なの。あたしは昼間の音を思い出し、首を竦《すく》めた。郵便受けに突っ込まれた夕刊を取り、ペットボトルを火照《ほて》った頰に当て、もう一度隣の家を眺めた。一階の和室の障子が中途半端に開いている。珍しいと思った。隣のおばさんは綺麗好きだ。いつも家の前にはゴミひとつ落ちていないし、窓ガラスもぴかぴかに磨かれている。それよっか、喉《のど》が渇いて死にそうだ。あたしは蒸し風呂みたいな家に入り、あちこちのエアコンを点《つ》けてからウーロン茶を一気に飲み干した。

家に置き忘れたと思った携帯電話が見当たらないことに気付いたのは、空になったペットボトルをすすいで分別ゴミのプラスチックバケツに投げ捨て、テーブルの上を見た瞬間だった。やっぱり、あたしは持って出たんだ。じゃ、どこで落としたんだろう。自分の道筋を冷静に考え直そうとする。携帯を持って出て、自転車に乗った時はバッグに入れてあった。それから駅前の駐輪場に自転車を置き、塾に行ってふたつ授業を受けた。その時、携帯がないことに気が付いたのだから、駅か塾か。あるいは自転車の籠にでも落としたか。あたしは塾に電話して、携帯電話の落とし物が届いていないかどうか尋ねた。ありませんよお、と素っ気ない返事が返ってくる。試しに、自分の携帯の番号に電話をかけてみた。誰も出ない。自転車と携帯。ああ、もう最低。疲れた。あたしは二階のうだるような自室に入ってベッドに身を投げ出し、エアコンを強にしてから目を閉じた。

うとうとしていて目が覚めたのは、午後七時近かった。すぐ側でパトカーか救急車のサイレンがして、ぴたっとやんだ。そのやみ方が不穏だったけど、あたしは気にならなかった。この辺に病気がちの老人がいて、しょっちゅう救急車が狭い路地に入って来るからだ。携帯と自転車をなくしたあたしはそれどこじゃないし、そろそろ母親が帰る時間だから、雨戸を閉め、風呂も沸かしておかなくてはならなかった。何もやっていないと答えた時の、母親の不機嫌な声音《こわね》を想像して、渋々ベッドから起き上がった。家の電話が鳴った。

「あーだー」

「テラウチさん。あたし携帯なくしたよ」

「ていうかさあ、あんたの携帯に変な男が出るんだよ。おっどろいたよ」

「えっ、どんな奴」

「若い男。あたしがあーだーって言ったら、いきなり『お前ふざけんなよ、バアカ』なんて怒鳴るんだよ。すっげえ頭に来た」

あたしは携帯をなくした経緯を話した。ついでに自転車を盗られたことも。

「携帯はそいつに拾われたんだよ。すぐに止めた方がいいよ。自転車は諦めるか、盗み返すしかない」

そうだね。あたしは電話を切って階段を駆け下りた。止める手続きをしようと思った。憤《いきどお》りのあまり、興奮していた。突然、外でかちゃかちゃと鍵を取り出す慌てたような音がして、玄関が勢い良く開いた。母親だった。白いパンツにあたしの古いブルーのTシャツを着て、夏になるとよく使う籠製のバッグを肩に掛けていた。化粧気のない顔が汗まみれで紅潮している。

「いたのね。良かった」

あたしを見てほっとした顔をする。目が吊《つ》り上がって血相が変わっていた。

「どうしたのよ」

「知らないの。隣の家、今パトカーが来たから何事かと思ったら、びっくりしちゃった。

奥さんが殺されたらしいのよ。ご主人が帰って来て見付けたんだって。あたしはもう、あんたが無事かどうか、それだけが気になって気になって」

午前中から感じていた何となく不穏で不吉な感覚。それが一気に実を結んで現実となった不思議な心持ちだった。あたしの勘もまんざらじゃないでしょう、と皆に喋りまくって自慢したい気分もないではない。

「じきに警察の人がうちにも聞きに来るって。ああ、どうしたんだろう。怖いよねえ。まさか、こんな住宅街で事件が起きるなんて信じられない。どうしよう。お父さんに電話した方がいいかしらね。いや、知らせるべきよね」

気丈な母にしては珍しくうろたえていた。あたしは居間のソファに腰を下ろし、光化学スモッグ注意報やがちゃんという音が聞こえた瞬間の、あたしの感じた違和感について考え始めた。もしや、あの時におばさんが殺されたのでは。ミミズが殺したのでは。鼻歌を歌いながら太陽を仰ぎ見た、ミミズの晴れ晴れとした顔が蘇《よみがえ》った。

「十四子、警察の人がお話聞きたいって」

顔を上げると、白いポロシャツを着た初老の男の人と、黒いスーツを着た中年の女の人が玄関に立って、うちの中を窺っていた。その目付きが気に入らなかった。あたしは見たことや聞いたことについて何も言わない方がいいだろう、と決意していた。

警察の質問は果てしなく続くような気がした。あたしが塾に行くため家を出たのは十二時頃で何も聞かなかったし、誰も見なかったと答えたのに対し、警察はあたしが家を出る前後に隣のおばさんに何かが起きたと考えているからだった。要するに、あたしの証言がひとつのポイントになっているのだ。これは最後だけど、と断ってこう質問された時にあたしは少し驚いた。警察がミミズを疑っていることは明らかだった。

「今日、隣の息子さんを見かけませんでしたか」

「いいえ」

あたしの脳裏にミミズの表情が浮かぶ。楽しそうなときめいた顔。あれはいったい何だったのだ。お母さんを殺して解放されたのか。それとも気でも狂ったか。そんなミミズが怖ろしいというより、あたしはその時のミミズの気持ちを正確に知りたいと思った。そして、ミミズはその気持ちを大人たちには絶対言わないだろうと確信した。いや、どう説明していいのかわからないんだろう。あるいは説明した時のあまりの単純さを知って言い淀《よど》んでいるのだ。それは、あたしにもわかる気がした。なぜなら多分、ミミズは母親がうざかったのだ。うざい。言葉にすれば、そんなちっぽけなことで自分の母親を殺すなんて、大人は皆、信じられないと言うだろう。でも、真実だ。この世はうざい。信じられないほどうざい。しかし、とあたしは思った。キレる男は馬鹿だ。あたしら女子高生がキレて、バスジャックしたって、刃物振り回したって、ことを為す前に取り押さえられるのがオチだ。だから、女はうざいことをされないようにあらかじめ武装する。男はきっと、この武装がうまくないのだ。

「隣の息子さんと仲はいいんですか」

「全然。道で会っても挨拶したことないし。お互い、知らない人っていうか。違う世界を生きてるみたいな」

「違う世界ねえ。どんな風に違うのかなあ」

突然、黒いスーツを着た女性の刑事が口を開いた。その人は陽灼け防止の真っ白な化粧をして、硬めの髪を和服の時みたいに膨《ふく》らみを持たせたアップに結っていた。髪留めは赤や紫のリボンで作った小さな花が密集している乙女チックなものだった。おかしな格好をしているけど、あたしの嘘を見抜こうとしているかのように目は鋭い。あたしは嘘がばれないかとびびった。

「わかりません」

ミミズの世界なんて知りたくもなかったからだ。あたしは自分がいいと思ったり、怖いと感じる世界に生きているんだし、それが他人と同じだなんてお目出度《めでた》いことを考えるのは小さい時にやめた。みんな同じだと思って、それを迂闊《うかつ》に口に出すと、猛反発を食らうことがある。人は他人が自分と違うことを許せないのだ。あたしは少し皆と違っていたから、すぐにそのことを学んだ。学校でも四、五人単位の気の合う小さなグループに分かれているんだし、互いに交わろう、知り合いたい、などと思ったこともない。いや、できないのだ。クラスには、ハルのようなコギャルグループもいれば、オタクもいるし、クラブ活動っていうわかりやすいグループに属している子もいる。あたしは幸い、気の合う連中と出会ったから、高校生活はまあまあ楽しく過ごしているけど、誰とも合わない子は死ぬほど辛《つら》いだろうと思う。あたしたちは、親とも違うし、教師とも最初から別人種。学年がひとつ違うだけで別世界。つまり、敵に囲まれてたった一人で暮らすことになるからだ。

「ねえ、あなたたち女子高生から見ると、隣の息子さんて同じ高校生として、どんな感じに見えた？」

「どんなって何て言うか」

「カッコイイとか、もてそうとか、いろいろあるじゃない」

女性刑事は笑った。真っ赤な唇から白い八重歯が覗いた。八重歯に口紅がくっついている。あたしは隣のおばさんの真っ赤に塗られた唇を思い出し、好きでも嫌いでもない人だけど、その人がミミズに殺されてこの世からいなくなったのかと急に怖くなった。ミミズがどうしてそんなことをしたのか、それも不思議で堪《たま》らないし、何だか現実感が失せるというか変な気分だった。ぼんやりしていたら、女性刑事があたしの膝に手を置いてまた尋ねた。

「ねえ、どう」

他人の掌《てのひら》はあったかくて気持ちが悪い。あたしはそっとジーンズの膝をその人の手から外した。

「あの、はっきり言うと」

「いいのよ、はっきり言ってちょうだい。被害者のお子さんだからって遠慮とかしなくていいの。あなたに聞いたことは今ここですぐに忘れるから」

忘れるくらいなら聞くなよ。そう思ったが、母親も心配して見つめているし、初老のおじさんも真剣な顔でメモを取っている。あたしは正直に言った。

「ひと言で言って、カッコ悪い人。ダサイし、暗いし、何考えているのかわからないし。日陰でしこしこ勉強ばっかしてるんだろうなって思った」

日陰で勉強ばっか。これがキーワードだったらしい。刑事たちは頷き合って立ち上がった。あたしのこのひと言で、ミミズは教育熱心な家庭のシコ勉野郎がキレた、ということになるのだろう。

うちの母親もソファの隅であれこれ聞かれていた。隣のおばさんがどういう人で、家族関係はどうだったか、とか。家庭内暴力の噂を聞いたことがあるか、とか。警察というのは聞きたいこととその答えを最初に想定して質問するのだと気付いた。すべて終わったのが、午後九時過ぎ。隣の家は煌々《こうこう》と照明が点いていて、まだ現場検証が行われている。あたしはミミズの父親が呆然《ぼうぜん》としながら、部屋から部屋へと警察官を案内している姿を思い浮かべ、たはーっと溜息を吐いた。あたしのことをあたかも存在していないかのように無視したおじさんだけど、そんな目に遭うのはあまりにも理不尽だと思った。

「あーあ、遣《や》り切れないね」我に返った母親があたしの顔を見た。「何も言わないけど、あそこの息子が母親を殺したと思っているみたいね、警察は。隣のご主人は勤務医なんだって。隣同士なのに、そんなことも知らなかったねえ。医学部入れとか言って、ごりごり勉強させたのかしら」

あたしは答えずに夕刊のテレビ欄を眺めていた。母はいきなりあたしに怒鳴った。

「あんた、こんなことがあったのに暢気《のんき》ね。信じられない」

「だって、他人事《ひとごと》じゃない」

「そらそうだけど、あんただって隣のおばさん知ってるでしょう。あの人、死んじゃったんだよ。息子がやったかどうかは別として、あたしは奥さんも息子も可哀相よ。アスコットタイしてる気障なおじさんだって気の毒よ。自分の息子が妻を殺したんだよ。どうしてこんなになるまでほっといたんだろうって」

「それが？」

なぜあたしが反発をしているのかわからなかったけど、母親の言うことは正論なだけに何かが少しずれているような気がしたのだ。それがあたしを苛立《いらだ》たせていた。

「それがって言い方はないと思うな」

母の目が据わっている。玄関が開いて父親が帰って来た。父親はダサイ薄茶のジャケットと黒い手提げ鞄《かばん》を脇に抱え、紺のポロシャツを汗でべったり濡らしていた。目に母親同様の怯《おび》えが浮かんでいる。母の電話に、慌てて帰宅したのだろう。忙しいだのなんだの言ってる癖に、早く帰ろうと思えば帰れるんだ、とあたしは思った。父は開口一番、母に言った。

「驚いたねえ。今そこで、俺も聞かれたよ。参ったよ、何も知らなくて。十四子と同じ歳の高校生がいることも知らないって答えたら呆《あき》れられた」

いつも飲んでばっかりで帰って来ないからよ、という顔で母が恨みがましく父を見た。あたしはあらゆることが面倒臭くなって夕刊をテーブルの上にばさっと置いた。二階の自分の部屋に行こうとしたら、父が見咎《みとが》めるように乱れた夕刊に目を遣った。

「十四子、自転車どうしたんだよ。ないじゃないか」

「ああ、自転車ね。駅前の駐輪場に置いといたのに盗まれちゃった」

「盗難届、出せば？　警官が沢山来てるんだから」

父は自分の冗談に一人で笑ったが、すぐ真顔になった。

「いいよ。どうせ出てこないもん。そのうち、駐輪場に置いてあったりするじゃん。誰かが乗ってって、また返して寄越《よこ》すんだよ」

「それもそうだな」

父は関心なさそうに頷いた。いつもなら「だらしない」と怒る母もそれどころではないらしく、素麺《そうめん》を茹《ゆ》でたり、ハムを切ったりして遅い夕食の準備にかかった。階段を上って行くと、両親があたしに聞かすまいと堪《こら》えていた話を一斉に始めるのが耳に入った。あたしは階段の中途で立ち止まり、それを聞いた。

「家の中、滅茶苦茶らしいな。風呂場のガラス戸が割られていて、奥さんがガラス戸に突き飛ばされて死体が血だらけだったって」

「そうなのよ。バットで殴ったんだってね。頭蓋骨《ずがいこつ》陥没だとか」

「何があったんだろうな」

「キレたんでしょう。血だらけのTシャツを脱いで洗濯籠に入れてあったそうよ。息子さんは平然と着替えて出て行ったんだろうって。あんなに細くて頼りなさそうな子なのに、信じられないわね」

「男の子は力が強いからな。細いったって、あの年頃の男は異常に力が出るんだ。加減もしないし。うちは女の子で良かった」

「嫌だわ、その言い方。自分だけ良ければばって感じ」

母の非難に父が恥じたように言った。

「そうだな、失礼だよな」

あたしはベッドに腰掛け、部屋の電話から自分の携帯に電話した。「はい」と若い男。しめた、とあたしは思った。背後から電車が幾本も通過するような轟音《ごうおん》が聞こえてきた。男は屋外にいる。

「あの、あたしの電話を拾った人ですよね」

「拾ったっていうか」

男はどう言っていいのか迷うように答えた。暑いっすね。あの声に似ている気がした。

「どこに落ちていたんですか」

「自転車の籠の中」

もしかすると、こいつはあたしの自転車も盗んだのではないか。あたしは血が逆流するのを感じた。

「自転車も盗ったの？」

「盗ったっていうか、借りたっていうか、何ていうか」

「あたしはその電話の持ち主なんだけど、返してくれない？　あなたが返してくれないのなら、使えないようにするだけですから。それから自転車も返してくれない。とっても困るんだよね」

「すみません」

男は謝った。

「それから、あなた。もしかして、あたしの隣の家の」

突然、電話は切れた。あたしは慌ててリダイアルしたが、男はもう二度と出ない。あたしはリダイアルボタンを何度も押しながら、膝頭《ひざがしら》の震えを抑えることができなかった。あたしの携帯と自転車を盗った男は、もしかするとミミズなのではないかと思ったからだ。

「山中十四子です。あたしの携帯と自転車返してください。うちの電話番号は携帯のジタクって書いてあるところだから電話ください。午前九時以降、十二時前ならあたし一人だと思うから大丈夫。お願いします。それから、あなたが隣の家の人だと思って言います。あなたのこと、警察が捜してる。その訳はあなたが知ってるでしょう？　あたしは関係ないけど、でも、おばさんのことはショック。やっぱ可哀相。あたしは多分、何も言わないけど、正直なところ、どうしたらいいかわかんない」

留守番電話に吹き込んだが、嫌な気分で気が鬱《ふさ》いだ。その晩、あたしは眠れなかった。うとうとして、変な夢ばかり見た。一番覚えているのはこういう夢だった。

あたしの家に隣のおばさんがいて、夕御飯を作っている。あたしは居間でミミズとテレビを見ながら、涙をこぼして笑い合っていた。あたしとミミズは兄妹で、おばさんはあたしたちの母親らしい。遠くで光化学スモッグ注意報が鳴っている。ミミズが言う。『暑いからチャーハンにしよう』。『チャーハン食べたいね』。あたしは台所に行って、おばさんに甘える。お母さん、今日はね、チャーハン作ってよ。おばさんは銀色の眼鏡の奥からあたしをじろっと睨《にら》んだ。そして、中華鍋を取り出し、うちの風呂場を指さす。あの子がね、ここに突き飛ばしたから絶対に作らないよ。でもね、お母さん、うちの風呂場のドアはガラスじゃないよ。だから大丈夫。何かの間違いだよ。あたしは、ミミズのやったことを知っているのに、ミミズとおばさんの間に入って必死におばさんを宥《なだ》めている、といういやらしい夢だったのだ。

あたしは寝汗を掻いて目を覚まし、きょろきょろと自分の居場所を確認した。外はとっくに明るくなっていた。何の変わりもなく朝陽が昇り、新しい日が巡って来た。今日も朝から暑そうだ。だけど、昨日の昼前から突然、あたしの世界は大きくずれまくった気がする。光化学スモッグの注意報と共に、がちゃんという音が何度も耳の中にこだました。血まみれのおばさんの顔。見た訳ではないけど、きっと眼鏡が外れて悲惨だっただろう。もしかして、夢が示唆したもの。つまり、あたしはミミズの「尊属殺人」とやらを知りながら、「逃走」を「幇助《ほうじょ》」している。いや、殺人そのものの「幇助」かも。その事実にあたしは驚愕《きょうがく》した。もしミミズが捕らえられたら、携帯や自転車はあたしがミミズの逃亡を助けるために貸したことになりはしないか。あたしは急に、掌に載せた途端に液状化して、指の間からこぼれ落ちるほど大きくて厄介なものを、無理矢理にミミズから預けられ、抱えさせられたような気分になり、警察とか大人の社会とかに恐怖を感じた。女性刑事があたしの膝に置いた掌の温《ぬく》もり。気持ち悪かった。

騒ぎになる前に両親に打ち明けた方がいいかもしれない。やっと心を決めた時、階下で母が朝食を準備している音が聞こえてきた。コーヒー豆を挽《ひ》いている。いつもと変わらない世界。あたしはほっとしてベッドから起き上がった。違う感覚を持っていても、母は少なくとも警察や大人の社会とあたしとの間に緩衝帯として存在してくれている。そんな母親や父親がいることが無性に嬉しい。そう思ったのだ。その時、外から人の話し声がした。窓を開けて外を覗いたら、家の前の狭い道路に人がいっぱいいた。テレビカメラを持った人、新聞記者、レポーターらしき女の人、警察官。ワイドショーだ。あたしは階段を駆け下りた。

「お早う。珍しく早いわね」

母はげっそりした顔で卵を掻き回していた。

「お母さん、外の人見た?」

「ワイドショーでしょう」母は暗い顔で言った。「こんな狭いところにうじゃうじゃいて嫌ね。息子が帰って来るんじゃないかと思っているのよ。ゲスだね。だって、息子がやったかどうかだってまだわからないのよ。しかも未成年なのよ。あんなに大騒ぎしてさ。もう嫌になっちゃった。ねえ、あんた悪いけど、朝刊取って来てよ」

ノーブラで寝間着代わりのTシャツと短パン姿だったにも拘《かかわ》らず、あたしはふたつ返事で承知した。隣の家の事件がどんな風に新聞報道されているのか、そして、ワイドショーの連中がどういう人たちなのか、興味があった。玄関を開けた途端、それまで談笑していた人々がしんと静まり返った。あたしが門扉の内側の新聞受けに歩いて行くと、レポーターの女性がマイクを持って走って来た。

「お嬢さん。ちょっとお隣のご様子についてお話伺えませんか。普段はどんなご一家でしたか」

これがあれか、レポーターって奴か。他の人たちも息を詰めてあたしの返事を待っている。こんな格好をしているのに、全国に放送される。あたしはびびり、新聞を持ったままじりじりと後退《あとずさ》った。ドアを背中に感じたと同時に、あたしは家の中に飛び込んだ。居間では早朝のワイドショーが放映されていた。その前にむくんだ顔をした父親が座り、一人笑っていた。

「今、お前が出て来たぞ」

画面には「現場から中継」と白いテロップが入り、うちの前の道路が映っていた。正面から朝陽が当たった隣の家も我が家も道路も、せせこましいながらも何だか晴れがましく違う風に見える。あたしは啞然《あぜん》として、ああ、もう駄目だ、とがっくりした。これほどの大事に至ったのなら、もうあたしは秘密を抱えるしかないのだ。あの禍々《まがまが》しい音を聞いたことも、その直後にミミズに会ったことも、ミミズが清々《せいせい》した顔をしていたことも、携帯と自転車をミミズに盗まれたことも、今後一切話せないだろう。「共犯者」という言葉が浮かんだ。父が新聞をめくりながら呟いた。

「何が起きたのかなあ。俺も若い時は、オヤジ殺したいとか、あのセンコー殺してやろうかとか思ったけど、母親殺したいなんて全然思わなかったな。母親は自分の世界と関係ないっていうか、母親が自分の世界を統《す》べているなんて思いもしなかったもんな。お前、そんなこと考えたことあるか」

「ないよ」

嘘だ。母親と喧嘩した時はいつも思うし、殺したくなるほど憎たらしい奴は死ぬほどいる。テラウチだってユウザンだって、ある瞬間に殺したいほど憎く思うことがある。だけど、殺したってしょーがないじゃん。いつも結論はそこに行く。殺して自分が損をするくらいなら生かしておく。

「隣のご主人は関東深川病院に勤めているのか。内科か。大変だなあ。息子は何て名前なんだろう。出てないな」

「未成年だもの、出る訳ないじゃん」

あたしは憮然《ぶぜん》として答える。父はコーヒーをごくりと飲み、コーヒー臭い息を吐いた。

「やれやれ、しばらく騒がれるだろうな」

朝食の準備をし終えた母が台所から叫んだ。

「あの子が帰るまで、あの人たちいるつもりなのよ。ねえ、どうする」

「うちは普段通りしていよう」

「普段通りできれば問題ないけど」

「無理矢理するしかないよ。関係ないんだから」

娘が関係がある、と知ったら、父親はさぞかし仰天することだろう。


あたしは両親が仕事に出かけた後、あちこちのワイドショーを見て過ごした。どこのテレビも皆同じだった。「母親の死に関係か？　高校生の息子姿消す。十七歳に何が起きた、真夏の狂気」。こんな感じだった。その間、訪問者がふた組あった。ひと組は隣家の父親の兄夫婦と称する中年の男女で、ご迷惑をかけて申し訳ない、と高校生のあたしにひれ伏さんばかりに謝り、重い菓子折を置いて帰った。開けてみると、水羊羹《みずようかん》が三十個も入っていた。もうひと組は、昨夜の刑事たちだった。初老の刑事が大判のハンカチで汗を拭き拭き、あたしに尋ねた。

「隣の息子さんだけどね。昨日のお昼頃に駅に行く道を歩いていたって証言があったんですよ。お嬢さん、あなたも同じくらいに家を出たって言ってたでしょう。会わなかったですか」

「あたし自転車でしたから」

そう言ってしまってから、あちゃーと思った。自転車がないのがばれやしないか。あたしは思わず目を伏せた。

「自転車で追い抜かなかった？」

女性刑事が聞く。今日は白いブラウスの襟に重たそうな七宝《しっぽう》焼きのブローチを付けていた。髪は相変わらず緩《ゆる》いアップ。剝き出しになった顔の色と首の色が明度にして五度は違う。あたしは首を振った。

「気が付かなかったです」

「今日はあなた塾に行かないの？」

「はあ」

電話が鳴った。二人の刑事はどうぞ、と電話に出るように勧める。あたしは動悸《どうき》を抑えて電話に出た。もしかすると、ミミズからかもしれないと思ったからだ。相手はなかなか喋らなかった。

「もしもし、もしもし。もしもし、もしもし」

三和土《たたき》に立っている二人が不審な顔であたしを見ている。あたしは目を背《そむ》けて、勝手に喋った。

「あ、テラウチさん。テレビ見たの？　ごめんね、心配かけて。今、お客さんが来てるから、こっちから電話するね」

相手がやっと喋った。

「警察いるんだろ。また電話する」

ミミズだった。あたしは何食わぬ顔で電話を切り、これって映画みたいじゃん、と思っていた。

「すみません、お待たせしました」

あたしは二人のところに戻った。老眼らしい初老の方が、目を細めて手帳を眺めながら言った。

「少年を見かけた人はね、紺色のTシャツにジーンズ、黒いリュックだったと言ってるのね。お子さんをベビーカーに乗せて、近くの公園に行こうとした近所の奥さんで、この裏の人。駅に行く時は必ずこの家の前を通るから、少年のことは何度か見かけたことがあるそうです。それでね、その奥さんは、お嬢さんらしい人も自転車で通り過ぎて行くのを見たって言ってます。会わなかったかなあ」

「あ、そうですか。じゃ、ちょうど十二時くらいです。あたし十二時五分の急行に乗ったから」

何食わぬ顔で言った言葉を二人はメモした。嘘を吐かなくて良かった。こうして、事実が積み上げられていく。いずれ、ミミズがあたしの自転車の鍵を壊して盗んだこともばれるのだろう。

「何か変わったことや、思い出したことがあったら、ここに電話してくださいね。毎日寄りますから、その時喋ってくれてもいいし」

女性が、角の丸い名刺を手渡した。あたしは、どうもとぶつぶつ言って名刺を受け取った。二人が帰った後、あたしは気分が落ち着かなかった。電話が鳴った。ミミズか。あたしは低い声で電話に出た。

「トシちゃん、トシちゃんだよね？　どうしたの、すっごく不機嫌そう」

テラウチと対照的な、弾むような澄んだ声。キラリンという綽名の友達だった。あたしとテラウチとキラリンとユウザン。この四人は中学高校と一緒のグループだった。キラリンは「東山きらり」という変な名前で、本人が嫌がっているにも拘らず、皆にキラリンと呼ばれていた。可愛くて陽気で、育ちが良くてまとも。キラリンという綽名がぴったりで、あたしたちのグループでは唯一どこに出しても恥ずかしくない女だ。

「トシちゃん、携帯なくしたでしょう。ゆうべね、あたしのとこに拾った男の人から電話あってさ」

「何時？」

「ええと、十時頃かな」キラリンはのんびり言った。「あたし、昨日は映画見に行って、その帰りだったから電車に乗っててさ。あまりこっちからは話せなかったんだけど、面白くってさ、ついいろんなこと話しちゃった。ごめん。その人、図々《ずうずう》しいのにね」

あまりのことに言葉を失い、あたしは何も言えなかった。キラリンは続けた。

「あたし、その人に言ったのよ。トシちゃん、携帯なくして困っているから返して上げてよって。そしたら、わかった。絶対に返す、悪いって謝ってたよ」

「キラリンに謝ったってしょうがないよ。あたしに謝ってくれなきゃ意味ねえじゃん」

「ほーんと」

キラリンは明るく笑った。そういえば、あたしはキラリンにだけは殺意を感じたことがない。お願いだから、いつも可愛くしていてあたしたちを和《なご》ませてって感じなのだ。

「だよねえ。それよっかトシちゃん、塾どうした」

「そのことはまた電話する。ごめん、ユウザンにも聞いてみたいから切るね」

夏休み中にみんなで会おうねえ、とキラリンは言った。ミミズがキラリンに電話をしたということは、ユウザンにもしているかもしれない。キラリンもユウザンも女の名前で登録しているから、あちこち電話して遊んでいるに違いない。とんでもない奴だ。あたしはすぐユウザンに電話した。

「はい、もしもし」

ユウザンは警戒したような低い声で出てきた。

「オレオレ。トシ」

「何だ、トシちゃんか。非通知だから誰かと思った。おめー、携帯なくしたろ」

「あいつから電話あっただろ」

「あった。てっきりおめーかと思って出たら、男だろ。びっくりしたよ。でさ、三十分くらい喋っちゃってさ」

あたしは絶句した。ミミズは三十分も何を喋ったんだ、あたしの友達と。そのうち、三十分もミミズと話すユウザンに対しても腹が立ってきた。ミミズは自分の母親、バットで殴って殺したんだぜ。母親をガラス戸に突き飛ばしたんだぜ。あたしの自転車と携帯盗んで逃げてんだぜ。本人は何だかさばさばして不気味な奴なんだぜ。あたしの口調は尖《とが》った。

「ユウザンさ、あたしの携帯返してくれない奴と三十分も喋ったって、それ、どういうことだよ」

「悪い。謝る。ただささ、あいつ、可笑《おか》しいこと言いやがってさ。今、母親殺して来たんだあってしみじみ言うから、あたしも三年前に母親殺しちまったんだよって言ったらウケまくってさあ。それから受験のこととか人生のこととか熱く語っちまったよ」

「ユウザンのお母さんは病気で亡くなったんじゃない」

あたしの言い方は少し憮然としていたと思う。ミミズのしでかしたことと、ユウザンのお母さんのこととはあまりにも違うと思われたからだった。でも、ユウザンは不機嫌に黙ってしまった。ユウザンにとって、お母さんが死んだことはあたしたちの想像を絶する傷になっているのは間違いなく、その話を一切しないことからも十分窺い知れたことなのに、あたしはその傷を抉《えぐ》ってしまった。なのに、母親を殺したミミズが、唯一ユウザンと話が合うなんて。何もかも知ってうろたえているあたしは、とっても馬鹿みたいな役回りというか、すごく道化というか。アホらしい。どうしたらいいのかわからなくなった。

「ごめん、ユウザン。ともかく、あたしは携帯を返してほしいんだよ」

「わかってる。あいつと今日会うことになってるんだ。その時、返して貰《もら》うよ」

「あいつ、どこにいるの。一緒に行く」

「駄目だ、言えない。約束したから」

ユウザンは口を噤《つぐ》んだ。あたしは堪えられなくなって、昨日から起きていることを全部喋った。ユウザンは何も言わずに聞いていた。

「だからどうしたんだよ。カンケーねえじゃん。ミミズがてめーの母親殺そうが、オレらにカンケーねえじゃん」

「ないよ」あたしは怒った。「そんなことどうだっていいよ。あたしは、ただ、あたしの自転車と携帯返してくれって怒ってるんだよ」

「わかった。責任を持って返しに行く」

ぶつっと電話は切れた。あたしは長電話のために汗ばんだ受話器を戻した後、参ったなと思いながら新聞の見出しに目を落とした。『真昼の住宅街で主婦殺害さる』。長男が行方不明というのは、記事中にちょこっと触れてあるだけだったが、誰がどう読んだって、長男が怪しいというのはばればれだった。『血まみれになった長男のシャツが洗濯籠に放り込まれており、警察では長男に事情を聞くために行方を捜している』。あたしは事情なんてどうでもいい。ともかく、自転車と携帯を返してくれ。しかし、その思いの陰に、ミミズがあたしやテラウチでなく、キラリンやユウザンだけにあれこれ喋ったということが重くのしかかっているのだった。要するに、あたしやテラウチは喋るに値しない相手だとミミズが思ったということなのだ。あたしはミミズに裏切られたような思いを抱いていることに気付き、苛立たしかった。あんな奴、どうでもいいのに。

ぶおーっと光化学スモッグ注意報が鳴った。いつものゆっくりした女の声が聞こえないなと思って外を覗いたら、報道陣が増えていた。狭い道いっぱいに人がいて、汗を掻き掻き、隣の家をじっと見つめている。スピーカーが街に隠されていたのではなく、広報車が回っていたのか、とあたしは関係のないことを思った。

その夜、十時頃にインターホンが鳴った。また警察かしら、と風呂上がりの母親が眉を顰《ひそ》めて出た。

「十四子、貝原さん。ちょっと遅いんじゃない」

「わかってる、用事があるんだよ」

「暑いから中に入って貰ったら」

母は冷蔵庫から麦茶を取り出しながら、やや怪訝そうな顔で言った。父はいつものように遅い。昨日の衝撃的な事件も、一日経てばもう普段通りだ。あたしは表に出た。外気はもわっとして蒸し暑く、冷房で冷やされたあたしの皮膚に湿気がまとわり付くのを感じた。外で張り込んでいた報道陣も見当たらず、道路に人影はない。門扉の前に、あたしの自転車を引いたユウザンが立っていた。Tシャツにアディダスの短パン。ナイキのサンダルを履いて、デイパックを背負っている。遠目で見ると、小柄な男子高校生みたいだった。ユウザンは自走して来たのだろう。はあはあと荒い息をしている。

「ごめんな、遅くなって」

ユウザンが息を切らして謝った。

「いいよ。わざわざ有り難う」

あたしは自転車を門の中に入れた。その時、半袖のTシャツを着たユウザンの腕とあたしの腕がぶつかった。ユウザンの腕は汗で濡れている。はっとして腕を離すと、ユウザンと目が合った。

「あいつの家ってあそこ？」

ユウザンが顎《あご》をしゃくる。ミミズの家は電気が消えてひっそりしていた。昨夜から今日にかけて、現場検証とやらで人が沢山出入りしていたのに、今は捨てられた抜け殻のように空っぽだった。

「そうだよ。あいつの部屋は多分二階の端っこ」

あたしは真っ黒な窓を指さした。ユウザンはしばらくその辺りを見ていたが、溜息を吐いて視線を落とした。

「ユウザン、あいつとどこで会ったの」

「立川《たちかわ》。さすがにここまで遠かったよ」

「あいつ、立川で何してるんだろう」

ユウザンはデイパックから水のペットボトルを取り出し、口を付けた。

「立川の公園の中に隠れてるんだって。子供の時、そこのプールに来たんだってさ。楽しかったからまた見に来たって。昼間はプールでごろごろしてたらしくってさ、すげえ陽に灼けてた」

あたしは幼いミミズが、あの銀縁眼鏡のおばさんとアスコットタイのおじさんと三人でプールにいる様を思い浮かべようとしたが、三人がうまく結びつかなかった。

「あいつ、何て言ってた」

ユウザンはペットボトルに蓋《ふた》をした。

「夢の中にいるみてえで、昔のことも夢みてえってよ」

ユウザンは空っぽの家を見上げる。あたしは思い切って聞いた。

「ユウザンもお母さんのこと、そう思ってるの」

「うん」ユウザンは頷いた。「あの人、ほんとに居たんかい、と思うことある」

ユウザンとミミズとの間に何か共通する思いがあって、それにあたしは絶対に入れない。寂しいというより、自分の世界が単純でつるつるしていて、何だかとてつもなくつまらない劣ったものに思われてしようがなかった。あたしは、ホリニンナというもうひとつの名前を持っている程度のあたしでしかないのだ。

「あ、これ返すよ。あいつがごめんって」

ユウザンはデイパックのポケットから大切そうにあたしの携帯を出して渡してくれた。電源を点けて見ると、電池が今にも切れそうになっている。

「じゃ、行く」

ユウザンは駅の方向に歩きだした。

「あいつどうするって。逃げ回る気なのかな」

「うん。オレの自転車と携帯渡してやったら、行けるとこまで行くってさ」

あたしは唖然としてユウザンの目を見た。ユウザンはあたしを通り越して、あたしの背後にある空っぽの家を凝視していた。あたしはミミズから連絡が来るだろうかと自分の携帯電話を握りしめ、来たらいいのに、と願っている自分に気付いた。「幇助」なんかしたくない癖に、ユウザンみたく、冒険したくもある。このどっちつかずのところがあたしなんだ、と思うと、その夜のあたしは限りなく暗い気分になった。

　トシちゃんのびっくりした顔がまだ頭から離れなかった。隣のおばさんが殺され、携帯と自転車を盗まれて、ショックを受けたあいつには、あたしがミミズにそこまでしてやるなんて想像もできなかったのだろう。あたしだって、自分がこんなことをするなんて思ってもいなかった。

　トシちゃんはのんびりして隙《すき》だらけに見えるけど、万里《ばんり》の長城みたいな厚く高い壁がぐるりと心の周りを取り囲んでいる。入れそうで、なかなか入れない。それは、トシちゃんが人一倍傷付きやすいからだ。以前、何度も傷付いたことがあるからだ。あたしはトシちゃんのそういうところが好きだ。臆病《おくびょう》だけど、自分のことは自分で始末を付けようという態度。四人の中では一番強いと思う。だから、さっきのトシちゃんの、あたしのことがわからなくなったという眼差《まなざ》しがあたしを落ち着かなくさせている。この一件で、トシちゃんの属している世界から遠い宇宙に弾き飛ばされた、そんな感じがしてならない。違和感ってほどじゃないけど、トシちゃんとあたしはこの先、確実に別々の道を行くって気がした。

そんなことを思い悩み、あたしは小走りに暗い道を急いだ。住宅街は静かだった。ミミズの家の周りで警察が見張っているんじゃないかと心配だったが、駅の方から来るリーマンと擦《す》れ違うくらいで人通りは絶えてない。狭い道に覆《おお》い被《かぶ》さった住宅の樹木から、雨上がりのような湿気がむんと漂ってくる。あたしは厚ぼったい空気を体で切り裂きながら進んでいる気がしてならなかった。地面にまだ真昼の熱気が残っていて、異様に蒸し暑いせいだ。

地表に到達する太陽エネルギーは、ほぼ五〇パーセントにしかならないんだと地学の授業で習った。教師のデジローはコンピューターで作ったグラフをふたつ見せて、「こっちは若い女、こっちはおばあちゃんのおっぱい」と真面目《まじめ》な顔して言った。若い女のは、太陽エネルギーの受熱量についてで赤道の辺りがぐっと盛り上がり、ババアの方のはエネルギーが放射される平べったい図だった。つまんないこと言いやがると思ったけど、地学の授業なんか取ってるのは五人しかいないから、皆で仕方なく愛想笑いしてやった。なのに、こういうのセクハラつーんだろって、デジローが自分でフォローしたりして。あいつはほんとに馬鹿だ。

でも、あたしはそんなことどうでもよかった。デジローがその後、こう付け足したからだ。「赤道は受熱量の方が放熱量より多いから熱源、極地はその逆だから冷源」って。冷源。その時のあたしは、まるであのことみたいだなってぼんやり考えていたんだ。あれってのは、死んだ母親のことと、もうひとつ。あたしは極地みたいに放射ばっかりして、きっと一生熱くなることはないんだろうなって思ってた。そしたら、何だか急に切なくなって、それ以来落ち込んだ。

トシちゃんもテラウチもキラリンもごく当たり前に両親がいて、そこそこ裕福な家があって、悩みはあたしほどのものがあるかどうか。あたしの家は母親がいなくなって、うざい父親と心配性のじいちゃんばあちゃんが残された。それがどんなことかわかるだろうか、あいつらに。

何気なく切り出される「うちの母親がさあ」という言葉。その直後、あたしの表情に気付いてうろたえる空気。あたしは、だからその前に、皆をフォローしなくちゃならない。デジローみたいな間抜けなフォローを。いや、もっとアホなフォローだ。逆に、あいつらの母親について聞いてみなくちゃならないんだから。「キラリンママ、文化祭来んのか」とか。こんな気を遣う高校生が他にいるかよ。笑える。

あたしは孤独だ。孤独になる絶対的理由がある。その上、母親が病気になって死に、誰よりも一層孤独になった。少し孤独だったミミズは母親を殺し、孤独に磨きをかけた。方法はわからないけど、あたしも今の孤独に磨きをかけたいと思っている。そうすれば、もっと生きるのが楽になるかもしれない。こんな話はテラウチにしかしたことがない。テラウチは暗い奴だから、というより暗さの種類がどっか似てるから話せる。トシちゃんやキラリンは優しいから駄目だ。優しいってことは、幸せってことじゃないか。だけど、テラウチは危うくてやばい。あたしは危うい奴の方が好きだし、親近感が湧《わ》く。でも、テラウチにもミミズのことはまだ話せない。どうしてだろう。

デイパックの中で携帯がぶるぶる振動するのが背中に伝わった。あたしは立ち止まって携帯を取り出し、受信メールを確認した。

『チャリとケータイありがとう。イルマまで来たけど、疲れたからコンビニに入った。一時間休んだら、また走ります』

ミミズからだった。あたしはミミズに自分の携帯を渡したとトシちゃんに嘘を吐《つ》いた。いずれわかることだけど、トシちゃんが唖然《あぜん》としているので言いだしかねたんだ。本当は新しい携帯を買って、あいつにくれてやったのだ。あたしの自転車をミミズに貸したのは事実。気にしないで捨ててもいいって言っておいた。でないと、あたしが助けたことがばれるから。

ミミズに電話をしてみようかと腕時計を覗《のぞ》く。午後十時十五分過ぎ。早く家に帰らないとオヤジが怒る。去年の夏休みの出来事以来、オヤジはあたしの行動にあれこれ干渉するようになったからだ。高校を出るまでの辛抱我慢、とあたしは自分に言い聞かせて暮らしている。ひとまず帰宅してからミミズに電話をしようとあたしはとりあえずメールを送信した。

『トシちゃんにチャリとケータイ返した。トシちゃんにお詫《わ》びの電話してやれよ。それからくれぐれも気をつけろ』

あたしはメールの文字を見つめた。母親殺しのミミズの逃走をあたしは助けている。あいつに何が起こったのかわからない。だけど、どこまでもいつまでも逃げていてほしかった。つまらない現実なんかに戻って来ないで自分だけの現実を作ってほしいというか、うまく言えないけど、そんな気持ちになっていた。

何かを踏み付けるようなねばねばした足音が聞こえてきて、あたしは携帯をポケットに突っ込んだ。闇《やみ》の中で蛍みたいに煙草の火が光っている。一瞬緊張したが、街灯の下に現れたのはミュールを突っかけたOL風の若い女だった。妙な足音は、歩く度にミュールと素足がくっついて離れる音だ。OLがあたしと擦れ違いざま、煙草を道端に捨てた。ヤニの嫌な臭《にお》いが鼻を衝《つ》いた。

「吸い殻、捨てんなよ」

思わず吐き捨てると、女が振り向いてきっとあたしを睨《にら》み返した。百七十センチくらいはありそうなでかい女だった。目の上に青い鱗粉《りんぷん》を塗ったくって広い肩に辛《かろ》うじて引っかかったブルーのキャミソール。ふてくされた貧乏なOL。もてない不幸なオカマみたいだ。

突然、去年、二丁目でオカマに殴られた時の衝撃が蘇《よみがえ》り、息を呑《の》んだ。

「偉そうに説教すんな、馬鹿」

女は甲高《かんだか》い声で言い放ち、すたすた歩きだした。あたしは街灯の光の中で立ち竦《すく》み、新宿二丁目をうろついていた高二の夏の夜を思い出していた。


二丁目に女だけしか入れない小さなバーが何軒かある。中でも、『ベッティナ』はノンケお断りで、一番過激だと聞いていた。場所はインターネットで調べて前から知っていたので、夏休みになってから行ってみた。どんなところかなんて行くまでもなく見当が付く。ただ、どういう奴がいるのか、あたしはそれを知りたかっただけだった。きっと、あたしは一人きりじゃないってことを確認して安心したかったんだと思う。

行ってみたら、案の定、十人も入れば満員になるチンケなバーだった。マスターは白いシャツの襟を立て、白髪混じりの硬い髪を五分刈りにした寿司職人みたいな中年女だった。来ている女も大概はキャリア風の厭味《いやみ》なババアばかりで、若い女を狩る目的しかなく、面白くも何ともない。だけど、あたしみたいな奴が数人来ていて、物珍しげにきょろきょろしていた。ショートカット、Tシャツ、短パン、デイパック、スニーカー。その辺の男子高校生と同じ格好の少年にしか見えない女たち。あたしと同様、ネットで店の存在を知って、夏休みだから遊びに来たっていう中学生、高校生たちだった。店の方も夏休みに入ると中高生が増えるのをちゃんと知っていて、ひと夏の体験入学って感じで優しかったし、缶ビール一本で朝まで粘れるから皆入り浸っていた。

仲良くなったのが二人いた。一人は高知県から上京してきて、いられるだけいて帰るというボクちゃん。もう一人は埼玉の進学校の優等生、ダーマ。皆、ハンドルネームだから知り合ってしばらくは、本名も出身地も知らなかった。

ボクちゃんはカンペキに男を目指していた。がさつで、肩さえ怒《いか》らせていれば男に見えると信じている馬鹿。夢は歌舞伎町《かぶきちょう》でオナベとして食べて行くこと。だから、露骨なほどに金のある女には目がなかった。初老だろうと中年だろうと、風俗の若いねえちゃんだろうと。ボクちゃんの中には、女が好きだから当然のごとくいい男になりたい、という単純な欲望がでんと居座っていて、男になるには即、男的なことを取り入れればいい、と信じ込んでいた。男的なことというのは、煙草を親指と人さし指で挟んで眉を寄せながら吸うとか、女の肩を抱いて顎《あご》を指で持ち上げるとか、ドスの利いた声を出して粋《いき》がるとか、ドラマや映画に現れるような二枚目的仕草や言動を実践することだった。身長もあり、空手を習っていてガタイがいいから確かに様にはなったが、ボクちゃんがやるとほとんどギャグだった。しかも頭が悪い。こいつがオナベになっても、話題が保《も》たなくてつまんないだろうなとダーマと話したことがある。

ボクちゃんは金がないから、路上で寝たり、ダーマの家に入り浸って、夏休み中の夜の大半を二丁目で過ごして土佐山田《とさやまだ》に帰った。あたしの家は父親が許さないので泊めたことはなかったけど、それを恨んでる風もなくボクちゃんからは今でもぽつぽつとメールが届く。メールには相変わらず、「商店街で紫のスーツを買いました。ダブルしかなかったのでダブルにしたけど、オレにはシングルの方が似合ってるみたいです」などと暢気《のんき》なことが書いてある。

一方、ダーマは複雑な奴で、ちょっとあたしに似ていた。ダーマという名も、アメリカの有名な連続殺人犯ダーマーから取ったという。無惨な殺人や死体に興味があり、死に憧《あこが》れさえ持っていた。あたしは母親が中学三年の秋に死んでいたから、ダーマのそういう嗜好《しこう》ははっきり言って嫌いだった。死を怖がり、死から最も遠いところにいる奴が死に憧れるのだ、と意見したことだってある。だが、奴は肩を竦めただけだった。さっきトシちゃんがあたしに感じたらしい違和感を、ダーマも感じたのだと思う。死についての話はそれきりしたことがないし、あたしも母親のことは二度と言わなかった。本当に受けた傷は自分でさえも取り出せないくらい心の奥底に仕舞《しま》われ、何もなかったかのように振る舞えるよう、体の方が機能するのだ。

ダーマの家は離婚家庭だった。あたしと同じ一人っ子。たった一人の家族である母親は、手広く商売をしていて忙しく、家にいないことが多いと聞いた。あの人。母親のことをダーマはこう呼んでいた。あの人はわりと綺麗だよ。あの人は頑張ってる方じゃない。あの人にはあの人の人生があるしね。あたしの母親が死んでしまったことと、ダーマの「あの人」って言い方と、どちらにも共通しているのは、今生きてるあたしたちの現実との距離感だった。遠い別の世界にいる人々。死んでいようが生きていようが関係なんかなかった。

当時、ダーマは高校の数学の女教師に恋をしていた。何でも、二十六歳の理科大出た超絶生意気な女で、数学的才能を持たない奴を露骨に馬鹿にするのだという。ダーマはその傲慢《ごうまん》さに惚れたのだった。あの女を超えたい、馬鹿にされないようにしたい、されたらオレは死ぬ、ダーマはいつもそう言っていた。一度など平均点を下回りそうになって赤っ恥を掻《か》き、ダーマは酔っ払って手首をナイフで傷付けたこともあるのだそうだ。その薄い筋になった傷跡はあたしも見たことがある。だから、ダーマは常に数学の教科書を持ち歩いていたが、ボクちゃんが居候《いそうろう》してるからできないんだ、とぶつくさ言っていた。ボクちゃんには金も貸していたし、Tシャツやパンツなんかも貸していたらしい。嫌なら追い出せばいいのだが、ダーマには頼まれたら断れないところがあったし、ボクちゃんみたいな単純なアホに辟易《へきえき》しつつも、自分はなれないと感心してしまう弱さがあったと思う。それが馬鹿にされたら死ぬ、ということと近いのかどうかはわからないけれど。

弱さはあたしにもあって、自分の弱さを抱えながらカッコ良く生きるなんて到底できないという絶望感はダーマと共通していた。あたしの場合は、父親に同性愛者だと打ち明けることなどできない、高校の人間関係でもできそうにない、これから先も絶対できないだろう、という自分の弱さに対する負い目を一生抱えるということだった。先々を思うと気が狂いそうになるくらい不安だったが、それでもあたしは、級友には少々男っぽい女の子程度に思われたいし、仲の良いトシやキラリンやテラウチなんかには同性愛者だって絶対知られたくなかった。あたしの生活はあたしの弱さ故に、幾重にも複雑になって本当の自分をひた隠しにしていく窮屈さがある。

ダーマとはそんなこともわかり合える気がして、出会えたことが嬉しかった。あいつもそうだったと思う。ダーマからメールが来ない日は心が晴れず、恋人のように毎日消息を知らせ合った。だが、去年の暮れ、突然連絡が取れなくなった。ダーマの母親に電話して聞いたら、「あの人はカナダに留学したの。落ち着いたらメールが来ると思うわよ」と妙に甲高い声で明るく答えるだけだった。親子で互いに「あの人」という言葉を使っているのかと可笑《おか》しくなったが、母親の明るさが異様な気がして、もしかするとダーマは数学で平均点に届かず、あの女教師に負けて死んだのかもしれないとも思い、あたしはそれ以上聞けなかった。ダーマとはそれきりだ。

あの事件が起きたのは夏休みがあと三日で終わる、という夜。今夜と同じような蒸し暑い夜だった。

ボクちゃんが高知に帰ると言いだした。あたしたち三人は送別会と称して『ベッティナ』で飲んだ。が、会は盛り上がらなかった。言葉少なく、視線さえ絡《から》まなかった。『ベッティナ』のマスターに、「おめーら、まるで葬式みたいじゃないか」とからかわれたほどだ。

ボクちゃんは結局、二十五日間も東京で浮浪者のごとく暮らしていた。路上で寝るのは体が臭くなるから嫌だと言って、後半はダーマの家に住んでいたようなものだったから、ダーマとボクちゃんの関係は悪化の一途を辿《たど》っていた。ボクちゃんがだらしない「男」で無礼な田舎娘《いなかむすめ》だったからだ。昼過ぎまで寝て、ダーマの家の冷蔵庫を勝手に開けて食べ、部屋を汚し、ダーマの服を無断で着る。シャワーを浴びたら浴びっ放し。シャンプーも石鹸《せっけん》も片付けない。普段、母親の分まで掃除や洗濯をし、夕飯の買い物もしていたダーマはキレかかっていた。それでなくても何とはなしに、この夏休みが終わったら青春が終わっちまう、という焦りと寂しさとがあたしにもダーマにも、薄らぼんやりと漂っていたと思う。缶ビールをちびちび飲み、あたしたちはカウンターに肘《ひじ》を突いてトレイシー・チャップマンの「ファスト・カー」という曲を聴いていた。マスターの趣味で、あたしはこの曲が嫌いだった。

「あーあ、オレが帰るっていうのにこれはねえだろ」

盛り上がらない会にボクちゃんがとうとう愚痴《ぐち》り、それでもあたしたちは何も喋《しゃべ》らなかった。心の中ではとっくに、ボクちゃんというアホに飽きていたのだ。

「今度来ても連絡しねえからな」

「いいよ」ダーマが答えて腕時計を覗き込んだ。「オレ帰るよ。終電がなくなるから」

あたしは驚いてダーマの顔を見上げた。いつもなら朝までいて始発で帰るのに、最後の夜に限ってやけに冷たいからだ。だが、ダーマは決然と財布を出して金を払っている。額にかかった髪の間から見える眼は沈んで大人っぽかった。ボクちゃんはちらりとダーマの様子を横目で睨み、生意気な口調で言い捨てた。

「ダーマはよう、そろそろマジな高校生に戻りたいんだろ。あん？　たいしたことねえよな」

「うん、戻りたいよ」

ダーマはぽつんと言って、あたしの方を見た。お前もそうだろ？　そうだ、あたしも戻りたい。あたしたちは視線を絡ませた。あたしは心底そう思っていた。戻れるもんなら戻りたいって。だって、あたしたちは絶対に、普通のマジな高校生に戻れないんだから。女なのに女が好きなんだから。ボクちゃんは黙りこくってカウンターの上に置かれたセーラムライトの箱を弄《もてあそ》んでいた。

「じゃ、ボクちゃん。またな。楽しかったよ」

ダーマはにっこり笑ってバイバイと手を振った。その腕が真っ白で細いのがやけに女っぼく、あたしはそれを悲しい気持ちで眺めていた。

「冷ってえなあ」ボクちゃんは文句を言い、カウンターに両手を突いてオヤジのように立ち上がった。「オレ、一人で飲みに行くから。でないと治まらねえもん」

あたしはどちらを追いかける気もなくなり、そのまま座っていた。マスターはボサノバかなんかのCDジャケットを眺めながら、知らん顔して咥《くわ》え煙草だ。電車がなくなる時間まで待って、あたしは店を出た。これが最後だ、と思った。新宿から世田谷区祖師谷《そしがや》の自宅まで歩き通してみるつもりだった。これが最後だと決心したのは、夏休み中、明け方に帰る生活が続いていたので、オヤジにこっぴどく叱《しか》られたからだ。あたしはまだその頃、妻を失ったオヤジに同情していて、何とかオヤジの期待に添おうともがいてもいた。ダーマを得て安心したせいもあったし、ボクちゃんというとんでもない下等物件と出会って、二丁目の世界に失望したことも一因かもしれない。だから、あたしは何となくひとつ卒業したような、寂しくも晴れがましい気持ちで店を出たのだった。階段を駆け下りて路地を歩きだした時、暗がりからでかい女がぬっと現れた。

「こら、お前。ちょっと来い」

関西訛《なま》りの太い声は男のものだった。黒いキャミソールにぴっちりした白のタイトスカート。ヒールの馬鹿高い銀色のミュールを履いているため、体全体が前につんのめっていた。スカートにはパンツの線がくっきり浮き出ている。ケツはごつく、真四角。カツラとすぐ知れる真っ黒な長い髪。爪だけがゴージャスに緑色で綺麗にネールアートしてあった。ケバくてダサくて貧乏臭くて、みっともないオカマだった。どうしてそんな細部を詳しく覚えているかというと、そいつがあたしのTシャツの袖を摑《つか》んで離さないからじろじろ観察できたのだ。

「何だよ」

「生意気なんだよ」

いきなりがつっと耳の辺りを拳固《げんこ》で殴られて、左耳が聞こえなくなった。あたしは地べたに崩れかけたが、オカマはあたしのTシャツをしっかり握って倒れることを許さず、あれこれ言っては殴り続けた。

「女の癖して男の街に来やがって、何考えてんだ、お前。粋がって男の振りしてるけどよう、お前らくらい面汚《つらよご》しな連中はいねえんだよ。女欲しいんなら、男に任せろよ。もともと馬鹿なんだからよう。頭劣るんだからよう。男にやられまくってりゃいいじゃねえか」

オカマはあたしのおっぱいを乱暴に摑んだ。あたしは男に胸を触られたことなんか一度もないから、それだけでショックを受けた。

「こんなもん付いてる癖に男の真似《まね》なんかしやがって馬鹿野郎。ちんちんないの悔しいんだろ。てめえなんか、あたしらの糞《くそ》にも劣るんだ。ほら舐《な》めやがれ」

突き飛ばされて生ゴミの集積所に転がったらしい。鼻血のせいで、臭いも感じられなかった。騒ぎを聞きつけた『ベッティナ』のマスターが駆け寄ってあたしを介抱した。血は派手に流れたけど怪我はたいしたことないし、高校生だから放っておくとやばい、とばかりにタクシーに乗せられてしまった。あたしは意識があったものの、泥だらけ血だらけで這《は》って家に入ったほどで、それからしばらく顔を腫《は》らして、二学期が始まってから一週間も学校に行けなかった。殴られたあたしを見た父親は仰天し、レイプを心配した。何かされたんじゃないのか。おろおろと歩き回る父親の足音を聞きながら、あたしは家の床に寝転がって笑っていた。レイプよっかもっと酷《ひど》い目に遭ったんだぜ、お前の娘は。想像もできねえだろって。

あたしはこの話を誰にもしていない。トシちゃんやキラリンは言うに及ばず、テラウチにも。そしてボクちゃんやダーマにさえも。どうしてか、わからない。二丁目にも二度と足を踏み入れていない。二丁目が怖くなったというより、人間という生き物が怖くなったのだ。そして、他人の憎悪を掻き立てる自分という存在も怖くなった。女が好きな自分は何者なのかわからないのに、男のオカマからはおっぱいを摑まれて女と知らしめられる。あたしはその夏、完全に自信を喪失したのだ。そのことがあったから、あたしはダーマが忽然《こつぜん》と消えたこともさほどショックではなかったのかもしれない。

家に着いたのは十一時ちょうどだった。オヤジが不機嫌な顔をして家の前に佇《たたず》んでいた。

青い緩《ゆる》んだTシャツにチノの短パンを穿《は》き、ナイキのサンダル突っかけて煙草を吸っている。あたしのオヤジはフリーのカメラマンだ。母親が死ぬ前はしょっちゅうロケだのなんだの、仕事と称しては家を空けていた。が、母親が死んでからはスタジオ撮影をメインにすると宣言して、東京にいるようになった。飲むのも控えているのか、どんなに遅くても十一時までには帰るようになった。実入りが落ちて愚痴るようにもなった。あたしはそれがうざい。あたしを放っておいてほしいのに、殴られて以来、あたしを見張ることと見守ることを勘違いしている。

「お前、自転車どうしたんだ」

「トシちゃんに貸した」

「どうして」

「盗られたんだって。塾に行くのに使うっていうから夏休みの間だけ貸した」

あたしはそれだけ言うとオヤジの横を擦り抜け、玄関に入った。家からマルチーズのテディが走り出てあたしに前足で抱き付いた。テディは母親の遺した犬だから、この家のお宝みたいなものだ。あたしはテディを抱き上げて階段を上りかけた。じいちゃんもばあちゃんもとっくに寝たらしく現れない。あるいは、息を潜めてオヤジとあたしの会話をモニターしているか、だ。死んだ母親の両親だから、オヤジのことなんかどうでもよく、期待も同情もあたしの一身にかかっている。あたしはそれもうざかったし、うんざりだった。

じいちゃんばあちゃん早く死ね、と毎晩願《がん》かけてる。

「トシちゃんて言えば、隣の家の息子が母親殺したんだろう。その息子とお前顔見知りじゃないのか」

オヤジの顔には好奇心が表れていた。オヤジはマスコミに生きる人間ぽく、目敏《めざと》く耳敏いところがあり、それもあたしは嫌いだった。

「知らねえよ」

「おい、知らねえよはないだろう。それが親に対する言葉か。嫌だよなあ、今時の若い奴のそういう言葉遣いは」

「すんません」

このやり取りが長く続くとオヤジがキレることがわかっているあたしは素直に謝った。ミミズが休憩を取っている間に話したいと思って、焦っていたからだ。オヤジは諦《あきら》めたように言った。

「早く寝ろよ」

「うん」

あたしは二階に上がってテディを解放し、自分の部屋に入ってドアに鍵を掛けた。耳を澄ます。オヤジが寝室に入った音がした。あたしはベッドに横になり、携帯を取り出した。コールがひとつ鳴った途端にミミズが出た。

「もしもし、オレだよ」

ああ、と安心したようなミミズの溜息《ためいき》が聞こえた。

「まだコンビニにいるのか」

「いや、あそこは目立つから、裏の駐車場で仰向けになってる。星が沢山見える」

ミミズはのんびり言った。

「疲れたか」

「うん」子供みたいに素直な答え。

「携帯のメール便利だろう」

ミミズはこれまで携帯も持っていなかった。

「確かに便利だな」と同調した後、ミミズは言葉を切った。「だけど、これは古いタイプだから百二十八文字しか入らない」

「そらそうだよ」

だから安いんだろうが。あたしはむっとしたが、ミミズはあたしの声の調子に気付く様子さえない。

「いや、いいよ。俺にはあんたしかメールの相手いないしな」

「キラリンとも話したんだろ」

「それ誰」

「オレの仲間。綺麗な子だぜ」

ふーんとミミズはあまり関心なさそうだった。

「オレも今日は立川まで往復して疲れたよ。いい運動だったけどさ」

あたしは立川でミミズと落ち合うために走り、それから杉並のトシちゃんの家までずっとチャリで走っていたのだから、信じられないような距離を走ったことになる。厭味で言ってやったのに、ミミズは関心もないのか、突然あたしに問うた。

「あのさあ、あんたさあ。何で男みたいに喋る訳。昨日の電話から変だと思ってて、今日会ったら男みたいな格好してるけど、可愛い女の子じゃん。どうしてだよ」

あたしは咄嗟《とっさ》のことで返答できない。どうしてかなんて考えたことなかった。女子校で男っぽいと言われ、ギャグみたいに使っているうちに自然こうなってしまった。ダーマやボクちゃんも皆「オレ」と言っていたから、本当の心に似合った一人称なんだろう。心の中で考えたり、感じたりする時はまだ「あたし」だが、いつか「オレ」に変わる日があると思う。しかし、ミミズの物言いはあたしに、あの出来事を思い出させた。オカマに胸を摑まれ、罵倒《ばとう》され、殴られたこと。あたしはミミズに対して密《ひそ》かに持っていた連帯感を凹《へこ》ませられたような気になった。やっぱ、こいつも男だ。男の振りする女を憎み、蔑《さげす》む男なのだ。敵かもしんない。あたしは不機嫌に黙りこくったが、ミミズは勝手に喋っている。

「俺さっきコンビニで夕刊見てさ。俺のこと読んだよ。へえ、世間じゃこういうことになっているのかと思って。現実感全くないっていうのかな。まるで夢の中だよ。それで顔を上げたら、レジの上にテレビあってさ。ニュースキャスターがさ、俺の家の映像見て勝手な訳のわかんねえことぺらぺら喋ってやがってさ。『郊外の住宅街には何か禍々《まがまが》しいものが潜んでいるんでしょうか。行方不明になった少年にいったい何が起こったのでしょう。少年の心の闇に潜むものはこの穏やかな住宅街にも潜んでいるのでしょうか』なんてさ。変な感じだったよ」

「お前さ、現実に戻りたいのかよ」

「戻れっこねえよ」ミミズはクールに言った。「これが現実なんだからさあ」

「じゃ、何でそんな現実にしたんだよ。おめーのせいじゃねえか」

あたしは少し苛立《いらだ》っていた。母親の死とかあたしが同性愛者だということは、あたしの責任ではないところから派生してきた問題だ。あたしはそのことに苦しんでいる。他の奴らより多い悩みを抱えている。なのに、こいつは母親を殺すという現実を昨日、自らの手で作ったばかりではないか。

「どうしてかな」

ミミズはその話を避けた。会った時もそうだった。

「早く整理して話してくれよ」

「何でだ。どうして俺が他人にこういう個人的なことを話さなくちゃならないんだよ」

た。

「オレがお前だったら殺すだろうかと考えたいからだ」

「何で」

「聞きたい」

ミミズは黙った。その沈黙は長かった。あたしはカーテンを引いていない窓ガラスを眺めた。携帯を耳に当てたあたしが虚《うつ》ろな顔して映っている。窓ガラスには傷ひとつなかった。

ミミズが初めてあたしの携帯に電話してきたのは、夕飯の後で父親と口喧嘩《くちげんか》している最中だった。最初、父親は逆上して全く話もできなかった。あたしが大学なんか受験しないと言ったせいだ。

「じゃ、お前は何になるんだ」

何になる。そんなもの今わかる訳ねえだろ。今のあたしが即やれることって言ったら、『ベッティナ』のカウンターに入るか、オナベ見習いになることぐらいしかない。が、そんなこと言ったら父親は泣きだすだろう。父親はマスコミにいる自分が好きで堪《たま》らない癖に、保守的で俗っぽくてつまんない奴だから。

「流行《はや》りのプーか。ふざけんなよ」父親は激昂《げっこう》した。「今は良くても後でどうする。甘えるのもいい加減にしろ」

甘えている訳ではなかった。あたしは本当にどうしたらいいかわからなかったのだ。高校に入ってますますはっきりした自分のセクシュアリティは、あたしの成長と共に、この世を欺《あざむ》いて生きるか、それともあからさまにカミングアウトして生きるかの二者択一を迫っている。だが、あたしにはまだその決意ができていない。大学のことなど考える余裕もなかった。母親が生きていなくて良かったと思うのは、こういう時だ。黙っているあたしに父親は説教を始めた。桃を剝《む》いて運んで来たばあちゃんが、またこそっと自室に戻って行くのが見えた。父親が祖父母を意識して言葉を選んでいることも、あたしは気付いている。

「お前は大学に行かなかったことを絶対に後悔する。俺にはそれがわかる。俺は何人もそういう若者を見てきたからな。彼らは社会に出て初めて、自分が恵まれていたのにどうしてその機会を捨てたんだろうと後悔するんだ。俺のアシスタントの女の子もそうだ。どうして日芸の写真学科に行かなかったんだろうって言ってた。一度落ちて逃げたって言うんだよな。でも、まだ就職してチャレンジするだけ偉いと思うよ。それに写真やりたいって自分で自分の道、選んだんだから。お前はそれすらもない。社会も知らない。社会を知ってから、後悔しても遅いぞ」

遅くはない。なぜなら、あたしはもうとっくに「社会」に出ているからだ。オヤジの言う社会とは少し違う心の「社会」に。そう言いたかったが、伝えるためには自分が同性愛者であることを吐露しなくてはならなかった。勇気が出ない。あたしはじりじりしながらふてくされる風を装うしかなかった。

「ともかく、お前の好きな美術系でも何でも行けよ」

「もう遅いだろ」

出た言葉は妥協案だった。「遅い」という言葉で時間を稼いだのだ。あたしは自分が嫌いになっていく。父親の顔がぱっと明るくなった。

「遅いなんてことはないよ。予備校行けよ。どこがいいのか俺が聞いてきてやるから」

隣室から、じいちゃんの安堵《あんど》の咳払《せきばら》いが聞こえた。窮屈だった。母親が死んでしまったから自由になりたくても父親はこの場所を出て行けない。二十年ローンを組んで二世帯住宅建てちまったのだ。しかも、じいちゃんばあちゃんが死んだら、直系相続だからこの土地はきっとあたしのものになる。その時は父親を追い出してやろうかとあたしは考え、その企みのお蔭で心が晴れるのを感じた。短パンのポケットで携帯が鳴ったので父親が指さした。

「携帯鳴ってるよ」

発信者がトシとなっている。

「トシからだ」

父親はやれやれと言った顔で煙草に手を伸ばした。あたしの携帯に男から電話がかからないので安心している節がある。

「もしもし、何だよ」

「あの、すみません」

驚いたことに男からだった。あたしは携帯を耳に当てたまま、階段をゆっくり上がって行った。父親がやっと姿を現した祖父母に言い訳しているのが聞こえる。「高三ていう年頃は難しいですよ。大人なんだか子供なんだか」

「おめーは誰だ。何でトシの携帯持ってるんだよ」

あたしは自分の部屋に入ってから詰問した。

「あの、清美さんじゃないですか」

「オレが清美だよ」

こいつはどっかでトシの携帯を手に入れて、女名前のところに電話しまくってんだなと直感した。あたしの声は低いので、電話じゃ滅多に女とばれない。男はすみませんでした、と気弱そうに謝って切ろうとした。

「ちょっと待てよ。オレは女だよ。それよっか、その携帯どうしたんだよ」

「拾ったんで返そうと思って」

あたしは「ジタク」となっている番号に電話しろと教えてやった。わかりました、とそいつは言い、それからこう言った。

「何で女の人なのにオレって言ったり、乱暴に喋るんですか」

あたしは頭にきて聞き返した。

「おめー幾つだよ」

「十七。高三」

「馬っ鹿じゃねえの」

切ろうとした時、あいつがこう言ったのだった。

「俺、今日、自分の母親殺しちゃったんすよね」

あたしはすげえ冗談だと面白く思い、調子を合わせた。

「そうかよ。オレも三年前に母親殺したよ」

それは嘘ではなかった。この手で殺《あや》めた訳ではないけど、あたしの心の中ではそういうことになっている。


母親が卵巣癌《らんそうがん》だとわかったのは、あたしが中一になったばかりの四月だった。死んだのが中三の十月だから、あたしの中学時代は母親の病気で占められていたようなものだ。癌て病気は、わかってから死ぬまでに時間がかかるから周りは大変だ。母親も知っていたから悟っているかと言えば、それは違う。仏のように悟る日もあれば、悪鬼のように身の不運を嘆いたり怒ったりする日もある。まだ三十八歳の母親は、圧倒的に後者の状態が多かった。不倫でもしていたのか、父親がほとんど家に帰って来ないということもあって、母親はえらく情緒不安定で家族全員扱いかねた。あたしは急に母親に抱き締められて謝罪されたり、邪慳《じゃけん》に突き飛ばされたりして過ごしたのだ。その感情の振幅の激しさ。あたしはたじろぎ、疲れ、どうしたらいいかわからなかった。加えて、あたしには同性愛者じゃないかという自分を疑う気持ちがある。母親でさえも自分の生死で精一杯で、あたしの悩みなど顧《かえり》みないのだと気付いた時、あたしは孤独な自分が自分で可哀相になりものすごく落ち込んだ。さんざん悩んだ挙げ句、母親を見捨てようと決心した。だから、心の中であたしは、母親は病気になった時が死んだ時だと思うことにしたのだ。病院のベッドに横たわる姿は生ける屍《しかばね》。

母親の命が危ないという時、父親があたしを迎えに来た。が、あたしは一歩も部屋から出なかった。

「おいで。お母さんが会いたがっている」

「行かない」

あたしはテディを抱いたまま首を横に振り続けた。

「怖いんだろ。大丈夫だよ。最期くらいお母さんに顔見せてやれよ」

父親は半泣きだったが、あたしはそんなことでは騙《だま》されない。最期だからと行って笑い合えば、それでおしまいなのか。あたしの気持ちはどうなるんだ。理不尽な思いでいっぱいだった。

「お母さん、悲しむよ」

「仕方ねえよ。みんな悲しいんだから」

「死んでいくのに可哀相だと思わないのか。たった一人の娘なのに」

あたしにだってたった一人の母親なのに。あの仕打ちはないだろう。あたしは復讐《ふくしゅう》したのではなくて、母親に死んでいく時くらいあたしとの関係のことを考えてほしいと思っただけだった。諦めて父が出て行った後、しばらくしてから窓ガラスがぴしっと鳴った。見るとひびが入っている。どこからか小石でも飛んで来て当たったのだろう。テディが怯《おび》えて震えている。あたしは窓を開けて外を眺めた。とっくに暮れていて、家の前の街灯が点《とも》っていた。だが、誰もいなかった。その直後に電話があって、母親が死んだことを知った。

「てことは、その小石が母親だったってことかな」

あいつはあたしの話を聞いた後、考えるように言った。

「さあね。よく出来た怪談話みてえじゃん。だから、そのこと誰にも喋ってねえよ。おめーが初めて」

「何で言わないんだよ」

「言いたくないんだ。だって、オレは正直に言うとね」

そこまで言ってから、どうしてあたしは会ったこともない奴にこんな赤裸々な話をしているのだろうと不思議に思い、言葉を切った。

「正直に言うと何だよ。言えよ。俺、聞きたい」

あいつも打ち解けていた。あたしは言葉を探った。

「母親がオレを責めてるんだな、と思ったんだよ。恨んでるっていうか。恨んでるってことは、死んでも死にきれないってことだ。その時、初めて怖いと思ったんだ。母親個人が怖いとか、幽霊が怖いとかいうのと違う。何ていうか、この濃密な人間関係っていうの。それがさ。だから、オレは捨てようと決心した時に、母親殺したのかなって思ってる」

「わかるよ」あいつが同調した。「俺もそうさ」

「ほんとにおめーの母親死んだのかよ」

「さっき言ったじゃねえか」

苛立ったらしく、あいつは叫んだ。

「じゃ、話せよ」

「整理してから話したい。どうしてかっていうと、俺自身、夢中だったからよくわからないんだ。ただささ、変なこと覚えている。母親の髪をぐっと摑んだ瞬間、こいつの髪って女みたいとか思ってさ。ああ、そうだ。こいつって女なんだあと実感したりして。でも、目の前にいるのは訳のわかんないことばっかぐちぐち言い募る、うるさいおばさんなんだよ。うるせえ、黙れ。って機械のスイッチをオフにする感じだったな」

それを聞いて、あたしの背筋がぞくぞくした。あいつの声は暗い水の淵《ふち》から聞こえてくるみたいで、殺さないまでもこいつは本当に母親殴ってるぞ、とあたしは思ったんだ。そしたら、あいつの方から切り上げた。

「あ、公園の奴が見回ってる」

「どこにいるんだよ」

「立川の公園」

「そこに泊まれるのかよ」

「隠れてれば大丈夫だろう。ただ蚊が多くてよ」

あたしは翌日の午後、立川駅前のマクドナルドで会うことにした。あいつは少しびびっていたが、あたしが強引に決めた。奴の話の続きが聞きたかったからだ。

トシちゃんから電話を貰《もら》って、あいつの言ったことが本当だったってわかったけど、あたしには最初から事実だってぴんときていた気がする。でないと、あたしもあんなこと喋らないからだ。

実際に会ったあいつは陽灼《ひや》けし過ぎて、真っ赤な冴《さ》えない顔をしていた。痩《や》せぎすで、もやしのような体型。紺のナイキのTシャツは薄汚れ、芝草が少しくっついていた。店内であいつがあたしを見付けあぐねて立っていると、皆が不快そうに眉を顰《ひそ》めた。異様に汗臭かったからだ。こいつはすぐに捕まる。あたしは何とか奴を遠くまで逃がす方法を考えていた。

「聞いた通りだな」

あたしはトシから聞いた奴の情報がぴったりだったので可笑しくなって言ってやった。

「何て言ってた」

「ミミズみてえって」

「ひでえ」奴は笑った。笑うと人懐《ひとなつ》こい可愛い顔になる。

「それからあんた汗臭えよ。着替えろ」

「着替えなら一枚持ってるけど勿体《もったい》ないよ。どうせこの暑さだから、ずっと着てるよ」

「合理主義といえば合理主義だな」

ミミズはあたしの言葉なんか耳に入らないらしい。呆《ほう》けたように窓の外を眺めている。陽は傾いていたけど、アスファルトの道はまだじりじりと炙《あぶ》られていた。

「あんた、K高に行ってたって本当？」

ミミズはまだ窓の外を眺めたまま、こっくりと頷《うなず》いた。

「東大狙《ねら》う訳？」

「もう駄目だろ」

もう駄目だろ、だってさ。あったりめーだろ。おめーは精神鑑定にさんざんかけられてモルモットになり、少年院にぶちこまれて保護観察の身の上になるんだ。とっくに社会的に抹殺されたんだ。もう受験も東大も忘れろよ。馬鹿。あたしは限りなく、この何も理解していない馬鹿に同情した。

「例のこと、整理できたかよ」

「いや」ミミズは相変わらず視線を外に向けて否定する。「全然反省してねえからできねえよ」

「そうだろな」

急にミミズが居住まいを正したので、あたしはびっくりした。

「俺、行くわ。何か知らないけど気が急《せ》くんだ」

「どこ行くんだよ」

「知らねえ。どっかだよ。俺、今すぐどっかに行かなくちゃと思ってさ」

「じゃ、行けよ。それからおめーのチャリ置いてけよ。トシに返すから。代わりにオレの使っていいよ」

店の前の駐輪場に置いてある自分の乗ってきたチャリを顎で示すと、ミミズは眩《まぶ》しそうな顔をした。

「わざわざ乗ってきてくれたのか」

あたしはマックの狭いテーブルの上に新しい携帯を出した。

「これもやるよ。トシの返せ」

薄汚れたジーンズのポケットからトシの携帯を出して、ミミズは首を傾《かし》げた。

「悪いな。どうしてこんなに」

わからなかった。ただ、あたしはミミズが気持ちを整理して、あたしに何かを教えてくれるのをひたすら待っている。

「早く行けよ」

ミミズは新しい携帯とマニュアルと充電器をディパックに突っ込んで立ち上がった。拗《す》ねた細い目があたしの方に向けられる。同類。あたしはそう思いながら手を挙げた。ミミズは不器用そうにあちこちの小さなテーブルに腰や手をぶつけて店を出て行った。アイスコーヒーを啜《すす》って窓ガラス越しに眺めた。ミミズはあたしの銀色の自転車のところに行ってサイドスタンドを外し、跨《また》がってみてからサドルの位置を上げた。もう一度跨り、あたしの方を振り向いた。その目は必死だった。『俺、今すぐどっかに行かなくちゃと思ってさ』。そうだろ、わかるよ。見付かんなよ。あたしはそう呟《つぶや》いて、ストローで残った液体を全部吸った。

第三章　ミミズ

俺はテレビでこんな場面を見たことがある。金槌《かなづち》で頭を殴られている日本兵の映像だ。金槌だけじゃなくて、尖《とが》った棒で突かれたり、跳び蹴りを食らわされたり、さんざんな目に遭っていた。殴りかかっているのは、がりがりに痩《や》せたフィリピン人の婆《ばあ》さんや爺《じい》さんだった。戦争中に酷《ひど》いことをされた仕返しだったのだろう。金槌で殴った婆さんは、立場が逆転したはいいが、この恨みをどうやって晴らせばいいかわからんという風に何度も何度も力を籠《こ》めて頭を殴る。兵隊は汚れたランニングシャツに褌《ふんどし》姿。なのに、軍帽だけはちゃんと被《かぶ》らされている。後ろ手に縛られ、炎天下にふらふらと立っていた。倒れそうになると、誰かが縛っている綱を引き戻してしゃんとさせるんだ。

俺が言いたいのは、そういう時、人は何を思うのだろうということなのだ。俺は当時小学生だったから、その兵隊が今にも寝入ってしまいそうなくらい眠そうなことが不思議で仕方がなかった。兵隊は虚《うつ》ろな目をして、眠気が襲ってくるのか、すぐとろんとした半眼になる。だから殴られても痛いのか痛くねえのか、ぼやっとしてるんだ。俺だったら恐怖のあまり、泣いたり喚《わめ》いたり、助けを乞うんじゃねえかと思ったのさ。

何でそんなことを思い出したかというと、今の俺が眠くて堪《たま》らないからだ。それも病的に。俺は自転車を漕《こ》ぎながら、始終うとうとしている。眠気を誘うような天気ならともかく、トラックが横をびゅんびゅん擦《す》り抜けるカンカン照りのアスファルト国道を走ってるのに、絶対におかしいじゃねえか。それに俺は、決して疲れてなんかいない。だって、昨日から女の乗るチャリでちんたら走っているだけなんだから。コンビニを見付けては寄って、涼んだり、水を飲んだり、マンガを立ち読みしたりして気楽な道中だ。どうして眠い訳がある。

つまり、俺の今の状態というのは、あの時の日本兵と同じなんだろうってことなんだ。俺は意識していないのに、俺の無意識は現実から逃避しようとしている。俺の中に、この事態を恐怖しているものがあるんだろう。

母親殺し。まさか、俺がそんなことをしでかせるとは、思いもしなかった。でも、しでかしてしまった。昨夜、コンビニで見かけたニュース番組のショックが俺をナーバスにしている。スポーツ新聞の見出しを見たって、「へえ、載ってらあ」としか思わなかったのに。テレビって奴は怖ろしい。

『郊外の住宅街には何か禍々《まがまが》しいものが潜んでいるんでしょうか。行方不明になった少年にいったい何が起こったのでしょう。少年の心の闇《やみ》に潜むものはこの穏やかな住宅街にも潜んでいるのでしょうか』

ニュースキャスターのつまんねえコメントだ。だけど、俺はこれを見て大変なことになったと初めて実感したんだ。新聞はどうでもいい。でも、テレビに出たらおしまいだ。ニュース番組、ワイドショー。世間の奴らは、俺の心に闇がある、その闇を解明しよう、と短絡して考える。これから先、皆が寄ってたかってああだこうだと俺の心理について意見を述べるんだろうな。コメンテーターやキャスターがわかったようなことを訳知り顔で言いやがるんだ。それって屈辱じゃねえか。俺には全く見当外れのことを言われても、馬鹿なこと言ってらあ、と喜ぶ神経はない。だって、俺のことなんだから。

サカキバラやあちこちで起きた少年事件のように、俺は連日新聞を賑《にぎ》わせ、識者の意見とやらを集め、少年法が何タラと言われるきっかけになるだろう。俺の小学校卒業の時のアルバムや寄せ書きが記事になり、俺の写真を同級生の誰かがネットに流し、それがまた問題になる。俺を嫌う奴らが好き勝手な悪口を言うだろう。「暗い奴で、教室では目立たなかったからわからない」とか、「挨拶はよくする子だったけど、近所の猫を苛《いじ》めているという噂《うわさ》を聞いた」とか。

そして、逃亡を続ける俺を日本国中の皆が捜しまくるんだろうと想像すると、この俺はどこに行く当てもないのに、永遠に逃げ続ける運命を背負った気がするんだ。スティーヴン・キングの『バトルランナー』のように、タクシーの運転手やコンビニの店員が、「今、テレビで見たあいつ、ここにいますよ」とチクリの電話をかけまくるんだ。

話は違うが、俺はキングが好きだ。『バトルランナー』や『ハイスクール・パニック』。『死のロングウォーク』は二回も読んだ。キングではないが、『バトル・ロワイアル』も読んだ。友達はマンガしか読まない奴が多いけど、俺は小説の方が好きだ。小説はマンガよりもっとリアルな実生活に近いのに、実生活の皮を一枚剝《は》がさなくちゃ見えない世界っていうんだろうか、そういうものが書いてある。つまり、深いんだ。だから、俺はクラスでも変わり者の部類に入る。クラスの奴らは表層しか見ない。親もそうさ。ま、その方が生きやすいってことだろう。もっと言えば、その方が賢いってことさ。馬鹿め。

何かしていないと眠い。俺は朦朧《もうろう》としながら、一生懸命、風景を眺めることにした。国道沿いのつまらん景色だ。パチンコ屋、カラオケ屋、中古車屋、ラーメン屋、ファミレス。どこも窓を閉め切って冷房をがんがんかけまくっている。ガレージのトタン屋根が太陽をぎらりと反射する。あの上はフライパンみたいに熱いんだろうな。

でも、もうどんな景色も俺の世界には属さなくなったように思える。これまで見ていた何でもない景色が変わり始めたんだ。逆に言えば、俺が変わったってことさ。これからの俺は、今までとは違った気持ちで、パチンコ屋やカラオケ屋に入るだろう。ああ、昔の気持ちはもう二度と持てないんだなあ、とか思って。わかるか、これ。俺がこういうことを他人から言われたら、「何言ってんだ、こいつ、馬鹿じゃねえか」と思ったろうな。その落差が、俺の世界と他の人間の世界との差なんだ。俺はたった一人になった。

人間も景色の一部さ。仲間と無線で話しながら俺を追い越すトラックの運転手、欠伸《あくび》を嚙《か》み殺す営業の白いバンに乗っているおっさん、小さな子供を助手席に乗せたおばさん、道路を渡る小学生。どの男も女も、俺とは違う世界にいるって感じがする。昨日と変わらない今日。今日と変わらない明日。明日と変わらない未来。延々と地続きの時間を過ごせる奴ら。

俺は独りぼっちで誰とも会わない砂漠を走っている気がする。火星みたいに遠い星の砂漠だ。俺の今日は、一昨日までとはまったく違う今日。「これまで」と「これから」。「これ」はオフクロを殺した日。要するに、俺は自分の世界の変わり目、分岐点を作ってしまったんだろう。俺は、今やっとあの日本兵の恐怖がわかった気がした。分岐点を体験した奴は恐怖する。眠くて堪らねえんだ。

自転車の速度に合わせてチンタラ考えていると、堪《こら》えきれない睡魔が襲ってきてしゃーない。道路の端に自転車を停めて、ひと眠りしようか。俺は少しでも寝転がれるところがねえかと辺りを見回した。だが、そんなところはありゃしない。どこまで行っても、チョービンボー臭い家や店ばかりで、ベンチひとつ、芝生一畳分、俺の欲する物はどこにもない。眠い。助けてくれ。眠い。自分のベッドで思う存分眠りたい。

俺の部屋。二階の東南の角部屋。八畳間でフローリング。フランスベッドのダブルクッション。エアコン、テレビ付き。家で一番いい場所の一番広い部屋。といって、別に俺が選んだ訳じゃない。あの家に引っ越す時、そう二年前のこった、例の問題が起きたんで、ここを先途《せんど》とオフクロがマンションから出て一戸建てに引っ越そうって言いだしたんだよ。

その時、「リョウ君の部屋は二階の陽当たりのいいお部屋にしようね」ってことになったんだよ。無論、俺に都合のいいことを言いだすのはオフクロに決まってんじゃねえか。オヤジは仕方なく、じゃ俺は二階の和室を自分の書斎にするからな、と宣言した。書斎だってよ、笑わせんなよ。お前の何タラ全集とかいう蔵書とやらは、埃《ほこり》被ってるじゃねえか。あれは家具かよ。本じゃねえのか。お前が学生時代に集めたっていうレコードだって、全然聴かねえじゃねえかよ。今やCDやMDやDVDの時代だぜ。何がアナログの音だよ、まったく。何も知らない癖に能書きばかり垂れやがって、馬っ鹿じゃねえか。どこで読んだんだ、そんな能書き。飲み屋の女にでも聞いたんじゃねえか。医者だって言えばもてる時代じゃねーのによ。パソコンだって買ったままでいじりもしない。カッコつけてんじゃねえよ。俺がこっそり入ってインターネットやったり、エロゲーやってんの知ってるのかよ。知らないってことは、何もできないってことなんだよ。見栄張んなよ、馬鹿。俺に舐《な》められてるのがどうしてわからないんだよ。何かあると、俺は医者だって威張りやがって。たかが、勤務医じゃねーか。リーマンじゃねーか。悔しかったら、どっかの総合病院の院長になってみろ。俺を金の力でハーバードに入れてみろ。できねえだろ。

オフクロには部屋なんかない。座敷はあるけど、それはパブリックスペースだから違うそうだ。家の中に公園があるってことか。公衆便所があるってことか。でも、あたしは家事室があるから要《い》らないわ、だってよ。これも笑わせるぜ。ユーティリティだと。何だ、それ。アイデンティティの親戚か。辞書引いてみろってか。嫌だよ。俺は電子辞書でなきゃ嫌だ、それも広辞苑と百科事典の入っている奴でなくちゃ使えねえよ。買えって言うんだよ。

そんなこと言うとすぐ買ってくるんだ、オフクロは。もう付き合ってらんねえよ。何でもくれるんなら、俺にあんたの命くれ。俺は別にあんたらの息子として生まれたくなんかなかったんだから、俺にあんたらの命くれ。俺が心底軽蔑《けいべつ》してるのわかってるのか。あんなババアが一生くっついて来ると思ったら、俺の人生はおしまいだって真っ暗になる。その気持ちわかるか。ほんっとに暗いんだぜ。

オフクロがこの世からいなくなってほっとした。いなくしたのは、この俺だけど。オフクロのことを考えると、まだ腹が立ってるから眠くなくなる。眠くならないために、俺はこの方式でいくことにした。

オフクロは馬鹿だ。このことに気付いたのは、いつの頃だったか。多分、俺が塾に通いだした翌年、そうだな、小学校五年生くらいのことだ。オフクロが俺に毎日説教したんだ。

この世で一番上等な人間というのは、頭がいいだけでなく、努力した人間なんだって。これは入れ替えが利くんだ。面白いぜ、やってみようか。顔がいいだけでなく、努力した人間。スタイルがいいだけでなく、努力した人間。運動神経がいいだけでなく、努力した人間。家柄がいいだけでなく、努力した人間。金まわりがいいだけでなく、努力した人間。運がいいだけでなく、努力した人間。つまり、最初の「いい」という前提がクリアできなかったら、人間として上等ではないということになるんだ。

じゃ、オフクロは上等かって問題に絶対なるよな。俺は小学校五年の時に、オフクロ自身は最初の前提すらもクリアできないんじゃないかという疑問を持った。頭はそんなに良くない。顔も良くない。スタイルチョー悪い。運動神経ゼロ。しかも、努力なんか全然してない。なのに、どうしてそんなことを俺に言えるんだろうと不思議だったんだ。そのうち、答えがわかったんだ。

オフクロは自分をものすごく上等な人間だと考えているんだよ。頭も顔も家柄も良くて、医者の妻で、できる息子持って、日々努力してるって。俺は子供心に愕然《がくぜん》とした。このおばさん大丈夫かよ、と思った。信じらんねえよ。

『リョウ君も幸いなことに頭が良かったんだから、努力してちょうだい。努力しなくちゃ駄目よ』

この台詞《せりふ》を何度聞いたことか。でも、俺はある時、気が付いた。俺はあまり頭が良くなって。それは俺が私立中学最大の難関校と言われるK中学に受かってしばらくしてからだ。最初の校内の試験で俺は二百五十人中二百番以内にも入れなかったんだ。あれ、変だなって思ったさ。でも、次の試験も同じだった。そして、その次もそうだった。中学高校の五年半、ずっと同じだった。

オフクロは焦ったさ。俺だって焦ってるのに、オフクロは俺を差しおいて自分が先に焦ったんだ。それがどんなことかわかるか。つまり、俺に叩《たた》き込んだあのテーゼが崩壊したってことなんだ。こんだけ努力しても報われないのなら、最初の前提が間違ってたってことなんだ。俺はオフクロや自分が思うほど、頭が良くなかったんだ。オフクロが自分の馬鹿さ加減を知っていたら、俺の頭がさほどじゃないって早く気が付いただろうにな。

だからオフクロは今、頭の悪い俺を心の中で責めてるのさ。オフクロはある日、俺の顔をまじまじと見たよ。知らない子供を見るみたいに眼鏡の奥の目が品定めしていた。挙げ句、こう言った。『リョウ君って、女の子にもてる?』だとよ。もてる訳ねえだろうが。自慢じゃねえが、俺は男子校に入ってから、女と口を利いたこともない。女から電話が来たこともないし、手紙を貰《もら》ったこともない。俺はオヤジとオフクロの子供なんだぜ。ダセー男と不細工な女の子供なんだぜ。俺を女から隔絶した環境に置きやがったのは、オフクロじゃねえか。なのに、『女の子にもてる?』はねえだろうが。

これはどういう意味かっていうと、オフクロは自分の教育方針の失敗を認めたってことなんだ。俺がさして頭も良くなく、顔もまずいから、もしかするとそれほど幸福な人生を送れないのではないか、と気付いたってことなのさ。馬鹿だぜ、ほんとに。自分のことが先だろうが。てめーの人生考えろってんだ。

いろんなことを思い出したらますます怒りが燃えて、完全に眠気を吹き払った。左手にコンビニが見えた。コンビニは俺の駅だ。コンビニがなければ生きていけない。俺はいそいそと自転車を停めて、ドアを押して中に入った。

炎熱地獄の外から入ると、冷気が心地いいどころか生き返る気がする。まだ新しい店で、広々としていた。レジには中年女が一人。サンバイザーと似合わねえ上っ張りを着せられて、立ち読みしている若い客を睨《にら》み付けている。商品棚の前に店主らしい中年のオヤジが一人。一生懸命、弁当の整理中だ。二人共、コンビニに慣れてなさそうだな、と俺は思った。慣れた店員なら、立ち読みに怒ったりしねえさ。

コンビニは入り口が一番涼しいんだ。外の暑さに負けないように、乾いた激しい冷気を噴き出させているからだ。俺は入り口で、火照《ほて》った体が冷えるまでずっと立っていた。冷気は俺の汗を結晶に変える。俺は全身の皮膚が白い塩にうっすら覆われてきらきら光る幻想を持った。ソルトスーツを着た俺は、他の人間より偉い。だって、オフクロ殺しだぜ。それで逃げてんだぜ。全人類の何パーセントができるかっていうんだ。何でも許される。

俺は冷蔵庫から二リットル入りの水のペットボトルを取り出して、レジに持って行った。金を払い、もどかしい思いで飲んだ。喉《のど》が渇いていたので、止めることができなかった。半分以上を一気飲みし、ようやく蓋《ふた》を閉める。そして、困った顔で俺を睨んでいるレジの女に頼んだ。女は鼻を手で覆っている。

「すみません、トイレ貸してください」

レジの女は中年男の方を振り返った。男が弁当を放り出して走って来た。

「すみません、お客さん。うちはトイレないんです」

俺はコンビニのトイレの場所を知っている。大概、冷蔵庫の横にあるんだ。俺はそれらしきドアを指さした。

「あれは何だよ」

「あれは倉庫なんですよ」

中年男も鼻を押さえて言った。トイレを借りようとしても、三軒のうち二軒は必ず断る。それがわかってたので、別に失望もしなかった。この前に寄った店が、五軒続けて駄目だったから、確率が更に下がったと思っただけさ。だけど、このオヤジはこう付け加えた。

「お客さん、すみませんけど他のお客さんの迷惑になるんで、飲み物は外で飲んでください。それからトイレも他の店でお願いします。申し訳ないです」

俺が迷惑になる？　どういうことかわからなかった。俺のソルトスーツか。俺はTシャツの臭《にお》いを嗅《か》いだ。確かに汗臭い。酸っぱいような異様な臭いだ。家を出てから丸二日。Tシャツは一度も洗ってないし、風呂にも入ってないだけなのにこんなになるのか。風呂代わりにプールで泳いだけど、あれじゃ駄目なのか。炎天というのは、俺を他人から遠ざけるほど汗臭くするらしい。ということは、あんな家でも、家にいるってことだけで臭くならないってことなんだ、と妙な感心の仕方をした。公園の水で手や顔は洗ったけど、Tシャツやジーンズは洗えない。俺は頭を掻《か》いた。

「出てけって言うの」

「そうじゃなくて、ここでのご飲食とトイレはちょっと」

トイレにかこつけて出て行かせようとしている。俺はオヤジを無視して水のボトルを抱え、本の棚の前に行った。すると、エロ本読んでたデブが嫌な顔をして雑誌を戻した。女子高生らしい二人連れの女も露骨に顔を顰《しか》めて後退《あとずさ》る。俺は平気な顔でジャンプを開いて読んだ。デブが店を出て行ったので、デブの手放した雑誌を手に取ってページを開く。大股開きの綺麗な姉ちゃんたち。俺はこの本が欲しくなったが、金が勿体《もったい》ない。仕方ないから目に焼き付けようと必死に眺める。臭いよね、と女たちの囁《ささや》きが向こう側の棚から聞こえた。さっきの女子高生だ。こういう時、俺はこう言いたくなる。「俺はK高だぜ」って。ほんと馬鹿だよな、俺って。K高でものすごく勉強できる奴って、自慢ぽく聞こえることは絶対言わねえだろうなと思うのはこういう時だった。あいつらはもっと要領がいいんだ。

結局、オフクロの教育って、外に見栄を張る時にしか役に立たないんだってことさ。俺がKでは劣等生だということも、センコーに馬鹿にされてることも、Kの奴ら以外にはわからないもんな。くっだんねえよ。俺はそこに居続けなくちゃならなかったんだ。中高六年間だぜ。もうじき大学受験だからほんの少しの辛抱よ、とオフクロは言うけど、いったい何を辛抱するんだ。オフクロには俺のことなんかわかんねえんだよ。俺は我慢の限界をとっくに超えてる。

ふと気付いて後ろを見ると、店主がどう声をかけようかという風におどおどと立っていた。俺は自分が逃亡中だということを思い出して、店を出ることにした。あまり目立つのはよくねえからさ。外に出た時、ちょうど携帯が鳴った。電話をくれるのは、あのユウザンという俺を助けてくれた女だけだ。

「もしもし、オレ」

悪いけど、こいつから電話がきても男と話しているみたいで、ちっともときめかない。女はもっと可愛くて高い声を出す方がいい。なぜって、そりゃ別の生き物だからだろうが。だから、こいつと話しているとつい文句言いたくなる。でも、それってオフクロと同じじゃねえか。自分の好みに仕立て上げたいだけさ。同じ血かよ。俺は苦笑した。

「ちょっと待って」

俺は日陰を探したが、コンビニの前は何もない。トラックの轟音《ごうおん》、灼《や》け付く太陽。俺はコンクリートの照り返しの上で暑さに閉口した。さっきのソルトスーツがぬるぬるの液体に溶けて皮膚を流れ落ちていく。そしてべたっと皮膚にくっつく。俺は駐車場に停まっているトラックを見付けて、陰にへたり込んだ。

「何だよ」

「おめー元気かよ」

「うん。ゆうべは結局、コンビニの駐車場で寝た。野宿は蚊が多くて駄目だな。コンビニのおにぎり食って、朝から適当に走ってるよ」

「今、どこ」

「知らない、田舎《いなか》だ」俺は周囲を見回した。埼玉県の外れらしい。「熊谷《くまがや》辺りだと思う」

「暑くて有名なとこだろ。おめー、大丈夫か」

ユウザンは早口だった。逆に、暑さで思考能力が低下しかかっているのか、俺の舌はもつれた。

「大丈夫だよ。それよっか、警察はどう」

「トシの話だと、毎日来てるそうだ。あったりめえじゃんか。さっき、おめーのオヤジ見てきたぞ。午前中にお母さんのお葬式があったんだ。おめーのオヤジ、わんわん泣いててみっともなかったぞ」

へえ、やるじゃん。号泣か。俺は他人事《ひとごと》みたいに思った。俺がオフクロを殺したことも、この先、オヤジも殺そうと思っていることも、この炎天下では遠い国の神話みたいに現実感がなかった。ほんとにあいつら俺の親だったのかよ。さっき自転車を漕ぎながら考えていた「これまで」と「これから」。オフクロへの憎しみを反芻《はんすう》するうちに、「これから」のもっと先、いや、違う世界に行ってしまったような気がした。俺はいったいどうなるんだろう。ソルトスーツを分厚くして、人間じゃなくなるのか。俺は初めて不安に思った。

「俺、どうなるのかな」

「さあ、なるようになるんだろ」

ユウザンは突き放すように言う。俺は、こいつのこういうところが気に入らねえと思った。だって、そうだろ。何があったか知らないが、こいつはこっちが寄りかかると冷たくなってふっと肩を外すんだ。なのに、俺に好奇心を持ってる。俺にはこいつが摑《つか》めない。摑めない奴は嫌いだ。

「俺の学校の奴らも来てたかな」

「知らねえよ。高校生は一人も来てないと思う」

「あいつらにとっちゃ、俺なんか、いることも気付かないクズなんだろうよ」

へへっとユウザンは笑った。

「クズの方がカッコイイじゃんか」

救われた気がして、俺は急に元気になった。

「逃げてるのがカッコイイか」

「うん。ていうか、おめー、これからどうするんだよ」

ユウザンの声に同情と好奇心が溢《あふ》れた。まるで、俺に自分の代わりに冒険してほしいと言わんばかりだった。

「逃げるに決まってるさ」

「どこへ」

「わからねえよ」

ほんとにわからなかった。ユウザンはふうっと子供みたいに溜息《ためいき》を吐いた。

「オレも一緒にどっか行きたいな」

「どこにも行けねえよ」

今度は俺が素っ気なく返した。ユウザンには世話になったけど、女という感じがしないからだ。それに、こいつは複雑で、俺には取っつきにくい。てめえが母親を病死させたと思って、てめえを責めてる暗い奴だ。俺はユウザンと電話で話しながら、俺とお前はちげえんだよ、と思ってた。俺はきっとこいつより冷たいんだろう。

「そうだよな。ところで、オレの友達におめーの携帯のナンバー教えてもいいか。みんな電話したがってる」

「いいぜ」

なぜだと思ったけど、この申し出には心が弾んだ。俺がトシという女のチャリと携帯を盗んで、すごく楽しかったのは、携帯に電話番号が入っている女たちとあれこれ世間話をしたことだった。キラリンとかいう女とは一度会いたい。ユウザンは俺の考えを見越したようにクールに笑った。

「やっぱしな。おめーも、いわゆるオトコなんだ。じゃ、そうしとくよ」

俺は畜生と思ったが、黙ってた。ユウザンが俺を密告《チク》ると困るからだ。携帯を切って、またひと口、水を飲んだ。腹も減っていたが、さっきのコンビニには寄る気がしない。俺はトラックの車輪の横にだらっと横になった。焼き肉が食いたい。唐突に思った。

「おい、どけよ」

声が上から降ってきた。目を開けたら、若い男が立っている。金髪にサングラス。ランニングに短パン。トラックの運転手だった。体がごつい。

「すんません」

立ち上がると、男が顔を顰めた。

「お前、ゲロ、汗臭いぞ」

すんません、ともう一度謝り、どうして俺はこんな見も知らない奴に謝ってるんだとむしゃくしゃした。チャリ置き場に行くと、古びた黒いママチャリがある。鍵が掛かっていないことを確かめ、俺はこっそりそっちに乗り換えた。ユウザンのチャリは銀色のでカッコイイが、目立ち過ぎるからだ。それに、あの面倒臭い女のチャリを捨てるのは気分いい。

ママチャリは重い。俺はまたも国道をえんこら走りだした。そして、分岐点となったあの日のことを考えないとまた眠くなると思った。電話が鳴った。俺は国道の端にチャリを停め、電話に出た。チャリが発見されると困るので草むらに倒し、俺もその場に蹲《うずくま》った。

「あたし、トシ。隣の家の者です」

早速、ユウザンがトシに俺の電話番号を教えたらしい。

「あ、どうも。さっきユウザンから聞いたんだけど、今日、オフクロの葬式だったんだって」

「そうだよ」トシの声は沈んでいた。「今、塾にいるからそこから電話してるんだけど、あなたのお父さんも親戚も泣いてた。うちの親も泣いたし、あたしも貰い泣きしちゃったよ。ねえ、あなたが逃げる気持ちもわかるけど、ユウザンに迷惑かけないでね。だって、そういうの幇助《ほうじょ》っていうんでしょ」

何だ、こいつは。まるでオフクロにそっくりな言い方をするじゃねえか。俺は、トシという女に失望した。だって、誰にも言わなかったが、こいつのために俺はオフクロ殺したようなもんなんだぜ。だから、あの後、外でこいつに偶然会った時、嬉しかったんだ。お前のためにオフクロ殺しちまったよ、どうしてくれる、って笑いながら言ってやりたかったんだ。お蔭様で、てな。だけど、出た言葉は「暑いっすね」だ。笑っちゃうよ。

「悪いけど、ここ暑いからまた電話くれないか」

「何よ、偉そうだね。折角電話したのに。じゃね」

トシはむっとしたように乱暴に電話を切った。俺はトシがあの日のことを密告《チク》るんじゃねえかと少しの間心配したけど、考えてみりゃ、俺が母親殺したことはもうばれなんだから、どうでもいいやと思い、草むらに両膝を抱えて座り込んだ。それにしたって、何で、トシやユウザンとかいう変な女が俺に関心を持つのか不思議でならなかった。女たちのヒーローになれるのか。そう思うと、浮き浮きしないでもない。

尊属殺人。俺は、大層なことをしでかした癖にそんなことを思ってる自分に違和感というか、変な感触を持った。俺は逃げることでどんどん変な人間になっていく。俺は草むらに寝転んで青空を眺めた。俺がこうしている間、トシは塾で何をしているんだろうと想像した。想像したら、ちんちんが立った。

実は、トシの部屋は俺の部屋の東向きのベランダからちょっとだけ見える。窓際に机があるらしく、運がいいと、レースのカーテンの隙間《すきま》からトシが勉強しているのがちらちら見えたりすることがある。そういう時、俺は部屋の電気を全部消して盗み見ていた。スタンドの明かりに照らされる真剣な横顔。時々、マンガでも読んでいるのか笑い転げたり、眉を寄せていたりする。お前、頭悪い癖にどうして勉強なんかするんだよ。無駄だろがって、最初はおかしかった。意味ねーじゃん。女っていうだけで得してるんじゃねえか。それだけで世の中渡っていけるじゃねえか。勉強なんかできなくたっていいだろ。そう思ってた。俺は長い間、女に対して反感があったからな。だってそうだろ。女は競争相手じゃねーもん。女っていうだけで、男はちやほやする。

でも、俺がたいして頭良くないとはっきりわかってからは、ひょっとして、女たちの方が俺なんかよりずっと頭いいんじゃねえかって思えてならないんだ。そして、トシは顔もまあまあだから、俺より幸福なんじゃないかって引け目さえ感じる。うまく言えないけど、コンプレックスって奴だろうな。駅なんかで見かけると、トシは俺に会釈する。でも、俺はちゃんと返せない。そんなこと、たいしたことねえと思うだろ。でも、俺には引け目になるんだよ。要領のいい奴なんかだと、仲良くなったりできるんだろうけど、話しかけようと思っても、トシはつんと澄まして行ってしまう。

それに、トシの家はいつも笑い声が響いていて、何だか楽しそうだった。そのたびに、俺は若い女のいる家って明るくていいなとまたしても引け目を感じたりもしてた。だから、俺がK高に通ってることなんて、世間の人間には全然関係のないことな訳だ。なのに、オフクロはそれがたいしたことのように信じてるんだから、ほんっとに馬鹿だ。つまりさ、俺が世間というものとオフクロの考えとの、ちょうど間に挟まってギリギリやられているんだよ。俺がそんなことするギムあるかよ。

引っ越してすぐ、俺はオヤジの書斎のベランダから、トシの家の風呂が覗《のぞ》けることに気付いた。風呂場の窓を少し開けていると、湯船が見えるんだ。その時入っていたのは、残念ながらトシの父親だった。母親は、用心深いから必ずぴしゃっと窓を閉じて入る。だから、見えない。トシは抜けた女だ。時々開けたまま入る。父親の後に入ると閉め忘れるんだ。

俺はそれを知ってから、トシが勉強するところをちらちら眺めては楽しみ、風呂に入る頃を見計らってはベランダに蹲って待つようになった。確率は五パーセントくらいだった。二十回に一回てとこだな。夏しか駄目だし、窓が開いているのは父親が入った後に限られるし、その時、うちのオヤジが書斎にいるとパーだからだ。

天の配剤じゃないけど、あの日は信じられないくらいうまくいったんだ。トシがスタンドの明かりを消した。風呂に入るのだろう。俺は急いで窓から身を乗り出して風呂場の方を見下ろした。湯気が昇っているから窓が開いていることがわかる。父親が入った後だ。しめた。俺はわくわくしながら、部屋を出て階段の途中から下を窺《うかが》った。うちのオヤジは帰って来たばかりで、まだ下で飯を食っている音が聞こえる。

俺は足音を忍ばせてオヤジの書斎に行き、こっそりベランダに出た。トシが何か怒鳴っている声が微《かす》かに聞こえた。きっと、父親の後始末が悪いと文句を言っているのだろう。湯の音が響く。俺は階下にいるオヤジの動向も気にしつつ、期待して待った。そして、とうとうあの瞬間がやってきた。トシが裸で湯船を跨《また》ぐ姿がはっきり見えた。やった。俺はガッツポーズをしかかったが、その時、俺の短い髪が後ろから摑まれた。

「あんた、何してるの」

声を殺してオフクロが言った。オフクロは両手で俺の髪を引っ摑んだまま、音を立てないようにして俺をオヤジの書斎に引きずり込んだ。そして俺の部屋に追い立てた。

「何って、別に」

「覗いてたのね。最低。クズ。あんたはクズ」

オフクロは化粧を落としてパジャマを着ていた。ピーコックで買った水色のパジャマだ。眉毛を描いてないから不細工で不気味な上に腹が突き出ている。俺こそ、こんな最低でクズな女にどうして文句を言われるのだろうとそればかり考えていた。

「クズで悪かったな」

「悪いわよ。あんたは勉強もしないでこんなことばっかりして、いったい何を考えてるの。大学受験どうすんの。犯罪者じゃないの。どうすんの」

「犯罪者かよ」

「そうよ。覗きじゃない。あんたは前の家でもそうだった。うちが引っ越したんだって、あんたのせいじゃないの。あんたがやったことがばれる前に引っ越さなくちゃならないから、お父さんもあたしも困ったのよ」

「あんたが一戸建てに移りたかっただけじゃねえか」

俺が反撃すると、オフクロは顔を強張《こわば》らせた。

「何言ってんのよ。あんたのやったことがばれそうになったんで、逃げ出したんじゃない。あんたの経歴に傷が付いたらどうするって、あたしとお父さんがどんなに心配したか。あたしのせいじゃないわよ。ねえ、あんたって異常者なんじゃないの。これから、どうすんの。ほんと、何考えてるの。どうすんの」

どうすんの。どうすんの。どうすんの。オフクロは返事を迫るように俺を睨み付けた。銀縁眼鏡の奥の目が三白眼になって、怒りと軽蔑の火がちろちろと燃えている。俺はこんな奴に軽蔑されるのかと衝撃を受けた。そして、オフクロの怒りって、もしかして嫉妬《しっと》じゃねえかと思い当たった。だって、異様な怒り方なんだ。うぜーよ。殺してやろうか。ふと、そんな考えが俺の頭にぽっと浮かんだ。こいつがいなくなったら、俺はさぞかし解放されるだろう。こいつがいる限り、俺は自由になれない。大学進学にも口を出し、結婚相手も自分で選ぼうとし、挙げ句の果ては俺の子供にも指図する。きっとそうだ。

「今日のことはお父さんに話すわよ」

オフクロは宣言して、出て行った。オヤジが俺に何か言える訳がなかった。俺はオヤジを舐めていた。俺の方がオヤジより背が高いからだ。力が強いからだ。案の定、しばらくするとオヤジも二階に上がって来たが、何も言わずに書斎に引っ込んだ。俺は明日、オヤジが出勤したらオフクロを殺してやろうと思った。道具は部屋の隅に置いてある金属バット。そしたら、俺は本物の犯罪者になるだろう。上等じゃねえか。犯罪者でヘンタイで尊属殺人。三冠王だ。俺はオフクロの頭にバットが唸《うな》りを上げて落ちる瞬間を想像して、びゅんびゅんと素振りした。だが、俺の頭をオフクロが言った言葉が巡っていた。

『あんたのやったことがばれそうになったんで、逃げ出したんじゃない』

それは、こういうことだ。杉並区に来る前、高校一年まで俺の一家は人口十五万程度の、都下のある市に住んでいた。二百戸の所帯が入っている大きな集合住宅だ。開放廊下があって、各家の前に三輪車や生協の箱が置いてあるような、どこにでもあるしょぼいマンション。

でも、俺が生まれて育ったところだから、俺はあの街もマンションも好きだった。マンションの周りにはまだ原っぱが残っていて、友達と暗くなるまで野球したし、雨の日はマンションの中を駆け回って遊んだ。友達もほとんどマンションに住んでいたから、みんな同じで何の差もなかった。

ところが、オフクロは、このマンションは普請《ふしん》が悪い、壁から話し声が洩《も》れる、上下の音が筒抜け、とか言って嫌がっていた。本音のところは、オフクロの言う「上等」に少しでも近付きたかったんだろうと思う。つまり、オフクロは都内の一戸建てに住みたかったってことさ。医者なんだから、その辺の勤め人と同じ家じゃ嫌だってはっきりオヤジに言ったことだってあったくらいだし。オヤジも満足そうに笑ってたよ。馬鹿夫婦さ。オフクロは、俺がKに合格してからはもっと言うようになった。「ここじゃ嫌よ、ここじゃ嫌よ」ってな。

俺はあのマンションに満足してたから、オフクロの言うことが実現すると困ると思っていた。それに、隣の部屋に若夫婦が引っ越して来てからというもの、俺は俄然《がぜん》、引っ越しなんかしたくなくなった。俺の部屋から、夜な夜なあの声が聞けるからなんだ。

俺の部屋と隣の家の寝室はくっついている。大概の家は六畳が子供部屋で、隣の六畳の和室を寝室にしている。ということは、3LDKの各家の子供部屋は皆、隣の夫婦の寝室と壁一枚隔てているという訳なんだ。エッチだろ。そこから喘《あえ》ぎ声が聞こえると、俺はすぐ耳をくっつけた。隣の若奥さんは愛想が良くて、顔もちんまりした猫みたいで可愛い。まるで中学生みたいにまっすぐの髪を切り揃《そろ》えていて、それも俺の好みだった。その奥さんがあんな叫び声を出す。

俺は聞くだけでは足りなくて、見たいと思った。だから、こっそりベランダの扉を開けて身を乗り出すようになったんだ。隣のベランダと俺の部屋のベランダの間は、火事の時に破れる合板の仕切りがある。それさえ乗り越えれば夫婦のやってる部屋の横に立てるのに、と思うと透明人間になりたくてじりじりする思いだった。

そのうち、あの時だけじゃなくて、普段の奥さんが何をしているのか見たい気がして堪らなくなった。旦那のいない時、何してるんだ。オナニーでもしてるんじゃねえか。だったら見たい。俺はある日、学校をズル休みした。オフクロが買い物に出ている間、ベランダに出て仕切りの間から隣を覗いてみた。カーテンが閉められていて何も見えない。がっかりしたけど、洗濯物が干してあるのに気が付いた。奥さんの小さな下着が丸い洗濯干しに並んでいる。綺麗だな。俺は触れてみたい気がして手を伸ばした。届かないので部屋に戻り、ダスキンのモップで取ろうとしたけど、うまくいかない。腕が疲れる。どうしようかと休んでいたら、上から糸屑《いとくず》が落ちてきた。はっとして見上げると、うちの二階上のベランダで布団を干しているおばさんがいたんだ。確か、生協でオフクロと一緒だから仲もいいはずだ。おばさんは知らん顔で布団をぱたぱた叩きだした。やばい。俺は急いで家に引っ込んだ。

その夜のことだ。オフクロが怖ろしい顔で俺に近付いて来た。

「あなた、昼間何してたの。言ってごらんなさい」

「何もしてねえよ」

「隣の家から何か取ろうとしたんでしょ」

「取ってねえよ。俺が試験の答案落としたんで拾おうとしただけだよ」

オフクロは一瞬、ふーんという顔をした。これで丸め込めるかと思ったんだが、すぐさま首を振った。

「だったら、堂々と玄関から行けばいいでしょう。あたしが今、行ってあげる」

「やめてくれよ」

俺は怒鳴った。だが、オフクロはフローリングの床を蹴るようにして出て行ってしまった。オフクロは三十分経っても一時間経っても帰って来ない。俺は心配になった。やがて、帰って来ると目を真っ赤に泣き腫《は》らしていた。

「もうここにはいられないわね」

どういうことだ。俺はそんなに悪いことをしたのかよ。俺が黙り込むと、オフクロはわざとらしく泣きだした。

「ああ、子育て失敗したのかもしれない。こんなことで躓《つまず》くなんて」

「隣は何て言ったんだよ」

「ご主人が出て来て、答案はないって。そして、証拠はないけどあんたが下着を盗もうとしたみたいだって。一枚だけ下に落ちていて、不自然だったって。あんた、こんなこと学校に知れたらどうするの。年頃だから隣は穏便にするって言ってくれたけど、あたしはもうここにはいられないわよ」

こんなこと、こんなこと、いられない、いられない、とオフクロがヒステリックに泣き喚いたんで、結局、急いでここに引っ越して来たという訳だ。引っ越した当初は、事件のことなどすっかり忘れて、オフクロも浮かれていた。あそこのスーパーにはこんなドレッシングがあるとか、パイシートも置いてあったとか、客層が違うとか言って喜んでいたのに、トシがいるのを知って、やおら警戒しだした。

「リョウ君の部屋から、あの子の部屋見えないわよね」

お前が俺の部屋を決めたんだろうが。俺は馬鹿馬鹿しくて、口も利きたくなかった。そしてこの騒ぎだ。俺がいかにオフクロにうんざりしていたか、わかるってもんだろ。それにあいつは俺を可愛がりすぎる。俺が風呂に入っていると洗面所でごそごそして出て行かねえことがあるんだ。俺、ほんとに嫌だったんだ。

分岐点の日、俺は十一時頃までエアコンをぎんぎんに効かせて部屋で寝ていた。そろそろオフクロが起こしに来る頃だった。俺は満を持して待っていた。殺す決心は朝になっても揺らがなかった。俺はベッドから起きて、金属バットを握った。返り血があるというから、パジャマ代わりに着ている古いTシャツのままだ。下はトランクス一丁。できれば全裸でやりたかったが、いくら何でもそれはカッコ悪い。階段を上る足音が聞こえる。いつもより荒々しい。オフクロもまだ怒っているのだろう。上等じゃねえか。ノックの音がして、それからドアが開いた。

「いつまで寝てるの」

オフクロは俺の部屋が冷え切っていることに驚いたらしく足を止めた。俺はバットを振り上げた。ひっと声を上げてオフクロが俺の手を見る。悲鳴と一緒に叫んだ。

「やめなさい」

俺が振り下ろすと、オフクロはドアから飛び出した。俺の第一打は空振り。バットは本棚の上に積み重なっていたマンガ雑誌を直撃し、弾みで机の上のスタンドの電球を割った。オフクロが泡を食って階段を下りて行く。ほう、やりゃできんじゃねえか。結構速いぜ。俺はゆっくり部屋を出て、オフクロを追って下りた。俺がまだバットを握っているのを見て、オフクロは持っていた受話器を取り落とした。俺はそれをきちんと元に戻し、オフクロの髪を摑んだ。オフクロが暴れて振りほどき、逃げて行く。その後頭部に一発。ごきっと音がして、手応《てごた》えがあったものの少し外れた。ファウル。オフクロは頭からだらだら血を流しながら、風呂場に逃げた。中から鍵を掛けるつもりなんだろう。俺は走って行ってオフクロの後頭部を叩いた。ぐしゃっ。音はいいが、また少し外した気がする。ファウルか。血が飛び散って俺の顔にかかった。オフクロは前にもんどり打って倒れ、風呂場のガラス戸を粉々にした。オフクロはまだ生きている。髪を血でぐしゃぐしゃにしたまま、今度は台所に這《は》って行った。

「あんた、犯罪者になるよ」

「わかってるよ。それでもいいんだ」

オフクロは頷《うなず》いたけど、その顔から見る見る血の気が引いていく。死んだらしい。じゃ、さっきのはファウルじゃなくてフェア。とうとう、俺を産んで育ててあれこれ指図して諌《いさ》めて、俺をセックス好きに仕立てて、文句ばっかり言ってた女が今死んだ。俺が殺した。俺は急に風船になったみたいに心が軽くなるのを感じた。ふわふわ。ぷかぷか。俺はバットを離して床にへたり込んだ。

草の間から、低い電子音のように虫の鳴く声が響く。俺の脳味噌はどうなったんだろうか。おかしくなったのかもしれない。ちっとも罪の意識を感じないなんて。俺は頭を抱えて起き上がった。チャリのハンドルは陽に炙《あぶ》られて熱いだろうな。そんな関係のないことが頭を過《よぎ》る。その時、携帯が鳴った。トシか。

「はい」

「もしもし、あたし東山きらりっていうんだけど、前に話したよね」

高い澄んだ声が聞こえた。トシの平静な声でも、ユウザンの男っぽい作り声でも、テラウチとかいう女の暗い声でもない。俺は嬉しくなった。

「うん、話した」

「ユウザンに携帯教えて貰ったんだ。ねえ、今何してるの」

「追憶というか、妄想というか。ま、いろいろだよ」

「ふーん。ねえ、警察大丈夫なの。暢気《のんき》に話していて平気？」

女は同情したように言った。こいつは面倒がなさそうな気がする。俺の脳裏に、マンションの隣の奥さんが浮かんだ。あんな女ならいいのに。

「わかんない。ねえ、あんた」

「みんなキラリンって呼んでる」

キラリン。俺はさすがに気恥ずかしくて呼べなかった。

「ねえ、俺と会わない？」

「えっ、いいの？」

おずおずと、しかし好奇心露《あら》わにキラリンは答えた。俺はこいつらの間でヒーローになっているのかもしれない。嬉しくなった俺は額の汗を拭《ぬぐ》った。

第四章　キラリン

『ねえ、俺と会わない？』

ミミズの声音《こわね》は、メル友になったオトコが、電話してきた時の言い方にそっくりだった。おもねるようでいて、お前の欲しいものを俺は知っていると言わんばかりの図々《ずうずう》しい響き。ヤルことしか頭にないって感じ。

私は『えっ、いいの？』と遠慮がちに答えたものの、いつもと同じく失望していた。なあんだ。母親殺しの気合い入った少年、ミミズさんでさえも女と会いたいんですか。私はもっと骨があるのかと期待してたんですよ。でも、無意識に指が動いた。携帯のメールを打つ真似《まね》。『嬉しい。私も会いたいよー。今日はひとりぼっちで寂しかったです』。嘘ばっか。

出会い系サイトで遊ぶようになったのは最近だ。『今すぐ会ってくれる人メール待ってます。16歳・ある私立女子高生』なんて書き込むと、たちまち百近い返事がくる。本物の女子高生なワケねえよなあと思いながらも、あわよくばと願うオトコたち。馬鹿ですねえ。『俺でよかったら会いませんか。18歳。185センチ、空手やってます』なんてメールに、私は『背高いね。カッコイイ。あたしは147センチ。小さな女の子好きですか』と打って送ってやる。嘘が飛び交うゲームだ。ミミズは私とゲームをしたいのだろうか。本気ならば大馬鹿野郎。私はミミズをからかってやろうと決心した。

「どこに行けばあなたに会えるの」

私の質問に、ミミズは答えるのを躊躇《ためら》っている。

「あのさあ。疑う訳じゃないけど、警察に言わないよね」

「何だ。疑ってるじゃない」

私はわざと高い声を出して、傷付いた風に力無く言った。声の演技もやたらうまくなった。どうせ電話だ。顔なんか見えないもん。オトコはみんな甲高《かんだか》い甘い声に弱いのも知ってる。案の定、ミミズは少し慌てた。

「そういう訳じゃないけど、念のためだよ。俺は今、追われてるからさあ」

追われてるからさあ、の言い方に若干自慢入る。根性なし。お前は母親殺しだろう。追われるの、あたりめーじゃんかよ。犯罪者。

「じゃ、いいよ」

こういう時はがっかりしながら素っ気なく。深追いはしない。ていうか、女はいっつも追われてばっかいるから、追われる側の心理がわかる。簡単に引かれると惜しくなっちゃう。私が惹《ひ》かれるのは、深追いしないオトコだから。

「熊谷。知ってる？」

「そんなに遠いとこまで行ったんだあ。どういうとこ」

「チョー暑い」ミミズは溜息《ためいき》を吐き出した。「エアコン背負って走りたいくらいだぜ」

自分で勝手に逃げてる癖に。私は冷酷な気持ちになった。おめー、母親殺しだぜ。そのくらい我慢しろよな。

「駅まで来てくれよ。俺はチャリだし、この暑さだからあまり動けないんだ」

まあ、ミミズさんって自分勝手。初めて会う女に熊谷駅まで来てくれ、なんて頼む男はそうざらにはいないよ。私は得意の嘘を吐《つ》いた。

「じゃ、これから行く。熊谷駅に着いたら電話するね」

「わかった。待ってる」

三五度はありそうな炎天下をわざわざ熊谷まで行くワケないじゃん。外はぎらぎらに暑い。でも、母親殺しの少年と話す機会なんて滅多にないことだ。一生に一度しかないかもしれない。それにトシちゃんもユウザンも、ミミズには好かれてないらしい。ミミズが会おうと言ってくれるのも、この私だけなら光栄ってヤツだ。チャンスが急に嬉しくなった私は、テルに相談して決めようと思った。

テルは私の親友だ。トシちゃんとも、テラウチとも、ユウザンとも違うトモダチ。すごく話が合うんで一緒にいると楽しいから、偽装結婚してもいいと思っている。テルはゲイだ。二十一歳。フリーターで、ちょっと前までは宅配便の運転手をやり、今はネット関係のバイトにありついている。テルが仕事中なのはわかっていたけど、私は電話してみた。

「テル、何してるの」

「ホームページ作らされてる。黄粉《きなこ》とかイカスミとかで布地染める変な染色作家のページ。実物見せられたけど、きっもち悪い色に染まるの」

「仕事があるんだから、まだいいじゃん」

「キラリンは夏休みだろ。そっちの方がいいよ」

テルの情けない、のったらくったらする優しいものの言い方が好きだ。テルとは、渋谷をふらふらしている時に知り合った。テルから話しかけてきたから、てっきりナンパかと思ったら、『ボク、あなたみたいな女の子になりたかったの。キレイ。ねえ、仲良くできない？』だってさ。それもナンパには違いないけど。

テルは暇そうだったから、私はこれまでの経緯を洗いざらい喋《しゃべ》った。ええーっとテルが驚いている。最近テルが凝《こ》っている、あの青いコンタクトレンズを入れた目をいっぱいに見開いているのだろうと想像する。あの目が好き。日本人でもオトコでも若者とやらでもなく、宇宙から来た不思議な性別不詳の生物みたい。前にあったじゃない、そういうCMが。アコムだっけ。

私はテルがオトコとして好きなんじゃないけど、テルの姿をいつも見ていたい気がする。なぜかと言えば、テルを見てると安心するから。本物のオトコとは遊ぶけど、何されるかわからなくて怖いし、心の底ではそんなに好きじゃない。いや、信用してないのかもしれない。テルは優しいし、トシちゃんたちよりか弱くて、すごくいい子だ。世間に痛め付けられている感じがとても健気《けなげ》で可愛い。テルはコスプレ好きで、そういうところも面白くて大好き。ここんとこ暑いからしていないだろうけど、今年の春はずっとバトル・ロワイアルの格好をしていた。そう、あの学生服着て首に輪っか塡《は》めてさ。

「キラリン、それって昨日の新聞に出ていた事件のこと？　お母さん殴り殺しちまった高校生がどっかに逃げてるってヤツ」

テルは周囲を気にしてるらしく、急に声を潜めた。

「そうなんだよ。その子、トシちゃんの家の隣のヤツでさ。最初はトシちゃんの携帯とチャリ盗んで逃亡したんだって。そいつ、トシちゃんの携帯に入ってる女の名前に次々と電話しちゃうようなヤツで変なの。あたしにもかかってきたんだけど、ユウザンが気に入って助けてやってさ、チャリと新しい携帯あげたんだって。あたしがその携帯に電話してみたら、そいつ喜んじゃって、これから会えないかって言うのよ」

「ユウザンは何でそんなヤツを助けたりするの」

「あの子、お母さん死んでるから何か同情したらしいよ。そいつ、あたしにも電話かけてきたもの。でも、あたしはただ面白がってるだけ」

「キラリン、危ないんじゃないの」テルは心配そうだった。「そういう子って自棄《やけ》になってるんじゃないかなあ」

自棄になった男が、あんなメル友みたいな声を出すだろうか。

「違うと思う。何か解放感があって、やる気満々だった」

「何をやるんだろう。キモイ」テルは私より女っぽい。「それに、どうしてそいつはキラリンに会いたいの。トシちゃんやユウザンやテラウチじゃ駄目なの」

テルはトシちゃんたちに会ったことはないけど、私が話すからよく知っているのだ。

「あたしが可愛い声出しちゃったからじゃない。いつもの癖でさあ」

テルは私が出会い系サイトにアクセスするのを好んでいない。そんな嘘ばっかで何が面白いワケ、とかマジで言う。でも、私には万が一、カッコイイ男と出会うかもしれないと思う気持ちがどっかにある。その期待があるんでついやってしまう。オトコ漁《あさ》り病かもしれない。

「ますますキモイじゃん」

「だけど、殺人犯に会うのなんて一生に何度もないよ」

私の言葉にテルはうーんとうなった。

「それもそうだよね。少し考えて昼休みに電話する。じゃまた」

私はトシちゃんにも相談しようかと思って短縮を押しかけたけど、やめにした。トシちゃんは頼りになるけど、マジな反応しかしそうにないし、私のことを本当は良くわかってないからだ。


私たち四人組の中で、処女じゃないのは私だけ。学校で、こっそり別のグループに入って遊びまくっているのも私だけ。出会い系サイトで嘘を吐きまくっているのも、ゲイの親友がいるのも、私だけだと思う。なのに、他の三人は私のことを、裏表なんかない、明るくて可愛いヤツと思っている。キラリンを見てると和《なご》むよね、なんてトシちゃんに言われると、何だかむず痒《がゆ》くなる。騙《だま》している訳じゃないけど、私はそんなに単純じゃない。

別のグループというのは、受験なんかテキトーにやって簡単な短大に入り、合コンするのを楽しみにしているような子たち。いずれテキトーな相手を見付けて結婚し、子育てしながら買い物したり、独身時代と同じように遊ぶつもりでいる子たち。それまではオトコと付き合うのも遊びと割り切り、とにもかくにも人生テキトーにやることばかり考えている子たち。自分は煙草を吸わないのに、ジッポーのライターなんか持っていて、オトコが煙草をくわえた時に、「あたしライター持ってるんだ。点《つ》けてあげるね」とか言って、オトコを喜ばせることしか考えてないような子たち。

その子たちと一緒に渋谷に行って、ナンパされたり、ナンパしたオトコの子たちとカラオケしたり、飲みに行ったりしてひと晩中遊ぶ。勿論《もちろん》、気に入ったオトコがいたらホテルも行っちゃう。だけど、ウリは絶対にやらない。理由は、ウリだとわかった途端にオトコの態度が豹変《ひょうへん》するから。私はオトコと遊ぶのが好きだけど、道具みたいに扱われたくない。そうされると悲しくなるし、自分が惨めで堪《たま》らなくなる。オトコ遊びは道の際《きわ》を歩くようなスリルに満ちていて面白い。端っこから落ちたらアウト。

テルは私がオトコと遊んでいることについては何も言わない。ていうか、自分もそういうことができたらいいなと羨《うらや》ましがっているんだと思う。ゲイの子も、普通のオトコが好きなんだから、女の子と同じ。その意味で気が合うけど、渋谷に行ったりして一緒にナンパされる遊びができないのがつまらなくもある。

私がなぜ両方のグループに入っているかというと、私はその子たちと仲間の三人とのちょうど中間に位置しているからだと思う。トシちゃんもユウザンもテラウチもいいヤツだけど、真面目《まじめ》過ぎて息が詰まる時がある。ちょっとピリピリしてるっていうか、面白いことを言わなきゃバカにされる感じ。とはいえ、テキトーグループのように、人生がテキトーにやれるだなんて甘い考えは持ってない。勉強していい大学にも入りたいし、きちんと就職もしたいと思っている。結婚だって相手のことが好きじゃなきゃ嫌だし、相手も私のことを一番大事に思っている人でなくちゃ困る。だけど、今が花なんだからテキトーにやらなきゃ損しちゃうとも思っている。

テキトーグループで、気の合う子は同じ学年に二人いる。その子たちは髪を染めてメイクして学校に来る。遊んでるって宣伝してるようなものだ。宣伝してれば、寄って来るオトコがいるからと計算しているところが潔《いさぎよ》くもあるし、媚《こ》びてる分、狡《ずる》くもある。私は真面目で「健《すこ》やかな」色気のある女子高生だから、そのイメージを利用する。それも潔いし、狡くもあると思う。お互いにオトコの目を引く、という点では同じだし、一緒にいれば互いを引き立て合うからメリットもある。それで気が合うんだと思う。その子たちは、校内で私に会っても声をかけてきたりはしない。互いに知らん顔してちらりと目で合図するだけ。話したいことや打ち合わせは、全部携帯かメール。ヒミツの関係という訳だ。

だから、私の交友関係って、表に出て堂々としているのはトシちゃんやテラウチ、ユウザンたちとの四人組だけど、地下に水脈が沢山あちこちに延びていて、ものすごく複雑なのだ。トモダチの種類によって、話す内容を変えている。

テキトーグループの子たちとは将来の悩みや真面目な話なんか絶対にしない。服とかメイクとかオトコの話だけ。勉強や進学の話をするのは、ユウザンやトシちゃん、テラウチだけだけど、彼女たちとはオトコの話はできないし、したくない。どちらも片寄っている。その両方をカバーするのが、テルなんだと思う。

テルも私を異性と思っていないから、緊張しなくていいんだそうだ。いずれ、偽装結婚しかないなと言い合っているくらい仲良しだけど、同じオトコを取り合うようになったらどうしようかとテルが心配そうに言うので、私はあり得ないって言った。そんな事態になったら、みんなが不幸になるから絶対にしない。「テルも避けてね」って頼んで約束して貰《もら》った。その理由は、高一の時にとても辛《つら》いことがあったからだ。そう、裏切られたのだ。

そのオトコのことはとても好きで、将来やりたいこととか悩みなんかも話せたし、服や髪型の話や音楽のこととか軽い話もできた。そいつと話していると、自分の悪いところなんかどうでも良くなって、いいところがぐんぐん伸びていく自由な感じがあった。そいつがいてくれるなら、女友達なんて一生要《い》らないと思うほど。テルだって好きになったかどうかわからない。でも、他の女子高生と浮気しているのがわかって、喧嘩《けんか》別れした。

そいつのことは、今思い出しても切なくて泣きそうになる。本当に好きだったんだと思う。エッチをしている最中でも、好きだ好きだと叫びたくなってもどかしいくらいだった。それなのに裏切られたことは、初めての本当に辛い経験だった。こういう気持ちってトシちゃんたちは知らないんだろうなと思うと、うまくいってた時は自分が一人前の女になったみたいで優越感を持っていた癖に、今はその平常振りが羨ましくも思える。

実は、お弁当を食べている時、そいつのことを三人に相談したことがあった。真面目な三人にも、一緒に考えてほしい、アドバイスしてほしい、という追いつめられた気持ちになっていたからだ。

「あたしの友達のことなんだけど」という前置きで始めた。「その友達は、都立高校のオトコの子と付き合っているのね。そのオトコは高三で勉強も忙しいけど、バンドもやっていて、サッカーもやってて、それなりに全部うまくて顔もかっこいいんだって。それで、その友達の子とそのオトコとはとても相性も良くて好きだったから、指輪も交換したんだって」

するとテラウチが突っ込んできた。

「どこまでいったのかねー」

トシちゃんが私の代わりに答えた。

「やったに決まってるじゃない。指輪も交換したくらいなんだから」

「あだー。相性がいいって、セックスの相性がいいってことかねー」

「でしょうね」

「サイズの問題かねー」

「ていうか、気合いじゃない」

テラウチとトシちゃんが勝手に喋ってから私の顔を見た。二人は異様に勘がいいので要注意だ。私は狼狽《ろうばい》を隠して続けた。

「でね。問題は、そのオトコの子が浮気をしたってことなのよ。その友達はそれがどうしても許せなくて、苦しいんだって。でも、そのオトコはほんの遊びだった、ほんとに好きなのはお前だけって言ったんだって。その子はオトコが信じられないのよ。どうしても許せないほどに辛くて悲しくて胸が張り裂けそうだっていうの。で、どうしたらいいって相談されたんだけど、あたしも何て答えてあげればいいかわかんなくて」

トシちゃんが不思議な顔して呟《つぶや》いた。

「浮気してるって、どうしてわかったの。ドラマみたいにナイスタイミングで二人を目撃したりしたのかな」

「携帯にラブラブメールが沢山入っていたんだって。一日に五十個くらい来てたらしいよ」

「じゃ、その『お友達』は相手の携帯をチェックしたってこと」

テラウチが「お友達」を強調して言った。私は仕方なく頷《うなず》いた。

「そうだって」

「最低じゃん」トシちゃんが言い切った。「他人の携帯チェックなんて最低」

「だけど、本当に好きだったらそれくらいするんじゃないの」

私はほとんど涙が出そうになってトシちゃんに抗議した。トシちゃんは驚いた顔をして、曖昧《あいまい》な言い方をした。

「そうだね。そうかもね。そういうもんかもね。あたし、オトコをそんなに好きになったことないからわからない」

テラウチがペットボトルの水を飲みながら面倒臭そうに言った。

「その『お友達』が浮気を許せないのなら、やめたらどうかねー。他にもオトコはいるんだしさあ」

「他にもオトコがいるって言ったって、その友達はそのオトコしか好きじゃないんだもの、しようがないじゃない。だから心配になって携帯のメールをチェックしちゃったりしたんじゃない。好きだからこそ、浮気を許すべきかって悩んでいるんじゃないよ」

「だったら、とりあえず許してあげて、その女の番号に嫌がらせの電話とかして腹いせしたら。それが落とし前じゃないの」

黙って話を聞いていたユウザンがぽつりと言ったので、私はどきっとした。とっくにやっていたのだ。

「そうだね。言ってみるよ」

「やめた方がいいよ。そういうことすると、自分が汚れない？　きっと嫌な気分になるよ」

トシちゃんが首を横に振った。トシちゃんはいつも正解。その通りだった。私はすでに罪悪感と戦ってもいたのだった。相手の子は、私が「ブス」と言ったら、「バカヤロー、ワタルを取られて悔しいんだろう」と怒鳴り返したのだ。私が嫉妬《しっと》して電話してきたってことがばればれだったのだ。泥を顔にべたっと投げ付けられたみたいだ。その泥は今も顔にくっついている。

トシちゃんのまっとうな意見に、テラウチは同意して肩を竦《すく》め、三人は話に飽きたかのようにまた箸《はし》を取ってお弁当を食べ始めた。もしかすると、私がオトコと遊んでいることを知られたかもしれないと思ったのは、この瞬間だけだ。

この話をテルにしたら、テルは私の手を取って、「キラリン、可哀相だったね。そういう時ってプライドが邪魔して素直になれないんだよね。どうして人ってプライドなんて面倒なものがあるんだろう」と言ってくれた。

「そうなんだ、可哀相だったんだよ、あたし。どうしていいかわからなかったんだよ。意地張って馬鹿なことしちゃった。もっと我慢すれば良かったんだと今になって思うんだけど、その時はできなかったの。ああ、あいつに会いたいよー。まだ好きなんだよ」

そう言った途端に泣けてきて、わんわん泣いたらすっきりした。私はこういう風に慰めてくれる友達が欲しかったんだと思った。普段、仲が良くても、三人は私の傷なんか何も知らないで成長していく。私という人間が、あの出来事でどんなに変わっても、三人の目には明るくて可愛い、お育ちのいいキラリンでしかない。その意識の落差は絶対に埋められないままに大人になっていく。友達って変なものだと思う。わかっているようでいて、全然相手のことを理解してないのだ。でも、そうは言っても、テルは生物学的にはオトコだから、いつか私を裏切るかもしれないと思う気持ちも実はある。私は心の底ではオトコなんか誰も信じてないのかもしれない。

私が処女を失ったのは、中学二年の時だった。処女を失った、なんてオーバーな言い方は恥ずかしい。行為自体はどうってことなかった。相手の顔なんか覚えてもいない。髪を金茶色に染めた私立男子高の生徒だった。どうしてあんなヤツとヤッたんだろうと時々思い出してとても暗い気分になる。すごく無礼で馬鹿なオトコだった。女は裸でうろうろするな、とか、煙草を吸う女は嫌いだ、とか説教を垂れる。

あれ以来、馬鹿なオトコはあの時に優しくないからすぐわかるようになった。これは不思議なのだが、馬鹿と優しさは反比例する法則がある。例えば、お店に入って真っ先に奥に座るようなオトコは馬鹿。カラオケに行って、自分の歌いたい曲だけさっさと入れちゃうヤツも馬鹿。ナンパするオトコは自分のことしか考えていないから、馬鹿ばっかりだ。なのに、どうして私はナンパされるのが好きなんだろうと、自分で不思議に思う。こんな話をテラウチやトシちゃんなんかとできて一緒に考えられたらいいのになあと思わなくもないけど、トシちゃんは真面目だし、テラウチは巧妙に自分を隠しているから、そんな子には自分から晒《さら》け出すことなんかとてもできやしない。

ユウザンは特別。ユウザンになら相談したいと思うことはある。でも、私はあの子がレズだということを知っている。ユウザンの気持ちは、女の子の気持ちとはちょっと違うんだろう。

高二の修学旅行で、みんなでこっそりウィスキーを飲んだ。その時、酔っぱらったユウザンが私の布団に潜り込んで来た。私が悲鳴を上げたら、「夜這《よば》いの真似ー」とか言って誤魔化《ごまか》してたけど、あれは目がマジだった。それに酔っ払って自分を出してしまったことを悔やんでいたらしく、夜中に泣いているのを見た。その時から、私はユウザンに同情してる。ユウザンは、私のようにテキトーグループとつるんで遊んだりしないから、発散できないに違いない。思い切ってカミングアウトしちゃえばいいのに、テルみたいに。そして、オトコの友人を作ればいいのに、って思う。

一時過ぎに、テルからやっと電話がかかってきた。電車が空いていたのでドアの横に行き、こそこそ長電話した。ドアの近くは冷房の冷気がもろに当たって寒かった。私は歯をがちがちさせながら喋った。

「さっきのことだけど、ボクはやっぱり行かない方がいいと思う」

「電車に乗っちゃったもん」

私はもう上野から高崎線に乗っていた。メル友と会う時と同じ。どんなヤツだろうという興味だけで出かける。遊び。暇つぶしのゲーム。待ち合わせ場所に行ったなら、少し離れた場所から携帯に電話して、相手を特定する。それから観察して、何だこんなヤツかと思えば帰る。良さそうなヤツだったら会ってみる。大概はハズレ。そいつの吐いた嘘がばれて面白い。ましてやミミズさんは人殺し。遠くから眺めたい。だが、テルは私に裏切られたかのような失望の声を出した。

「信じられない。どうしたの、キラリン。熊谷って上越新幹線でしょう？　どうしてそんなことするのさ」

「ううん、高崎線。新幹線なんて乗ってないよ」

「でも、遠いでしょう。何でわざわざ行くの」

「だって、あいつ殺人犯じゃない。見たくない？」

テルはしばらく沈黙した。それからこう言った。

「ボクはミミズって人は可哀相な人だと思う。別に会いたくないし、関わりたくない。どうしてキラリンが見たいなんて、ワイドショーみたいなこと言うのかわからない」

こういうまともなことをちゃんと言えるテルはやはり好きだし、偉いと思ったりもした。だけど、私はミミズをこの目で見たかった。

「自分でもわからない。もしかするとね」と言って、私は言葉を切った。「トシちゃんやテラウチに対して優越感みたいなものを持ちたいのかも」

「もう持ってるじゃない」

テルは穏やかに言った。

「持ってないよ」

「持ってるよ。キラリンは自分が裏の世界に通じているって思って持ってるよ。ボクみたいなゲイの子と仲がいいことでも持ってるし、オトコと遊んでいることでも持ってる。違うかな」

当たっていなくもないけど、ちょっと違う。私はオトコを良く知ってるつもりでいるけど、本当は知らない。本当に知るには、きっとあの浮気したオトコともっと付き合わなくちゃいけなかったんだと思う。そこにひとつドアがあって、苦しくて辛いけどドアを開ければ違う世界に行けて、あいつのことを理解できたはずなのに、私は怒ってドアを閉ざして逃げた。トシちゃんやテラウチは、私みたいに表面だけのオトコを知らない代わりに、いざという時、とても強い気がする。ドアを開けるような気がしてならないのだ。それが私のコンプレックス。

「言い過ぎたらごめんね。ボクは心配してるの。ねえ、これからボクも行こうか」

「駄目だよ、会社さぼっちゃ」

「いいよ。早退してボクも行くよ」

電話は切れた。私は空いている席に座って、どこまで行っても全く途切れないで広がる住宅を窓から眺めた。並んだ住宅の西側の屋根が、真夏の太陽をぎらぎら反射していた。

飛行機から見たら、さぞかし眩《まぶ》しいことだろう。光を反射するくらい強くなくちゃならないのに、私はどうして渋谷で夜遊びしたり、出会い系サイトにアクセスしたりするんだろう。表面的なオトコ関係なんてつまらないってわかっているのに。複雑なトモダチ関係なんてくたびれるばっかなのに。なぜ私はシンプルに強くできないんだろう。そんなことを考えたら、少し憂鬱《ゆううつ》になった。

熊谷駅に着いて、まずトイレに行った。会うこともなく帰るかもしれないけど、顔見て幻滅されるのが怖いから。騙したと言われるのも癪《しゃく》だし。顔に汗が浮いているのでハンカチで押さえて、眉だけ描き直した。ピンクのTシャツに汗染みがないかどうかチェックし、制汗スプレーを吹き付け、これだけ支度してから駅構内でミミズに電話した。

「今どこ？　俺も駅に来てるんだ」

やることと早いじゃん、もうここにいるとは。私はどきっとして、隠れる場所はないかと周囲を見回した。ミミズがどんなヤツか観察してからじゃないと、絶対に会うのは嫌だ。私はキヨスクの後ろに入り込んで、駅の構内で携帯をかけている高校生らしき人物がいないか探した。

「あなた、どんな格好してるの」

「キラリンはどんな服着てるんだよ」

「あなたから言ってよ」

「キラリンから言えよ」

何だ。こいつもどっかに隠れて私を観察しようとしてるんだ。さすが犯罪者。でも、電話の駆け引きなら私に敵《かな》うワケない。私は張り切った。

「真っ赤な水着着てるよ。それに黒いハイヒール履いて、ルイ・ヴィトンのでかい鞄《かばん》持ってる」

「派手な格好だな。俺は旧日本兵の軍服。軍帽被《かぶ》って、この糞暑《くそあつ》いのにゲートル巻いてる。位は二等兵。本物じゃ物騒なんで、木銃持って来てる」

日本兵だって、こいつ馬っ鹿じゃないの。私は可笑《おか》しさを堪《こら》えた。目だけは怠《おこた》りなく駅を行き交う人々を観察している。リーマン、小学生、おばさん、女子高生、駅員、夫婦。男子高校生風なんていない。

「モクジュウってどんな物」

「水着ってどんな形。ビキニ？」

「あ、ごめん。スクール水着だった。胸のところに白い名札付けてるからすぐわかるよ。東山って名札」

「スクール水着かよ」声音が変わった。「お前、遊んでるだろう」

いきなり言い当てられた私は焦った。何でわかったんだよ、ミミズさん。

「遊んでないよ」

「そうかな。スクール水着なんて玄人《くろうと》好みだ。エッチだよ。お前、オトコの好み知ってるんだろう」

「それよっか、どこにいるの」

「お前はどこにいるんだよ」

キラリンという呼びかけが、スクール水着をきっかけに「お前」に変わっていた。私は軽んじられたのかと不快になった。

「あんたにお前って言われる筋合いはないよ」

「威張るなよ。俺に会いたいんだろう。俺を見たいんだろう。俺が殺人者で逃亡者だから。お前ら女たちは、俺を見物して喜んでるんだ。ネットに日記とか載せてんだろう。俺にはわかってるんだよ」

「そう思ってるんなら、それでいいよ。あたしは帰るから」

「そうしろよ。俺も帰る」

「帰るってどういうこと。折角来たのに。いいよ、これから交番に駆け込むから。ここにあの少年がいるって言ってやる。携帯の番号、教えちゃう」

それまで屋内だった響きが、どこかに歩いて行く気配に変わった。歩いているために、息がはあはあ洩《も》れるのがわかる。車の音が聞こえてきた。ミミズは駅から出て行ったらしい。私は背伸びして外を眺めた。が、姿は見えない。

「今日は会わなくてもいいや。俺逃げるわ、ごめん」

突然、電話が切れた。頭に来た。呼び出しておいてそれはないだろう。電車賃かけてこんなところまで来たのに。深追いするな、という鉄則を破って私は外に飛び出した。駅前はタクシーの列が延びているだけで人影がなかった。炎天なので、誰もが外出を避けている。私は真っ昼間の無人に近い駅前で呆然《ぼうぜん》と立っていた。どこにもいない。もう少しのところだったのに。異様に乾燥した熱い風が吹いてきて、私の長い髪を乱した。冷房で冷え切った体が徐々に手足の先から熱くなっていく。背中に汗が噴き出した。

「水着じゃないじゃん」

後ろから声がした。あ、やられた。何よりゲームに負けた悔しさで、私の頭は外気温よりもカッと熱くなった。きっとミミズは私を遠くから観察して、こいつがキラリンという女かとじっくり眺め、品定めしてから、近付いて来たに違いない。私がいつもやってるみたいに。

私はゆっくりと振り返った。背はひょろひょろと高いけど、すごい猫背で首が前に付いているようなヤツが私を見て笑っていた。電話での挑発的な態度と違い、呆《あき》れるほど屈託なかった。私の想像では、ミミズは暗い影を背負っていて、自分のしでかしたことに困惑している悲しげで汗臭いヤツだった。でも、本物は真っ黒に陽灼《ひや》けして健康そうに見える。こざっぱりと新しい白いTシャツを着て、黒い大きめの半ズボン。背中に埃《ほこり》まみれのデイパック。髪がぼさぼさで脛毛《すねげ》が濃い。こいつ、ほんとに自分の母親殺したんだろうか。その辺の高校生が塾に行くみたいな格好してる。私はゲームに負けた悔しさと暑さでくらくらしながらミミズの顔をぼんやりと眺めていた。

「あんたがキラリンか。トシやユウザンとも違うね」

「そうかな。わかんない」

「わかってる癖に。お前、オトコとさんざん遊んでるよ。そういう顔してる」

「遊んでないよ」

「可愛い顔して、強《したた》か者だろう」

「違うよ」

私は唇を尖《とが》らせて拗《す》ねた顔をした。オトコの前で媚びる私。何とか手玉に取りたいけど、オトコと会ってる時の私は受け身になる。それというのも、私がオトコを根本的に信用していないせいなんだ。ああ、嫌だ。こんな犯罪者にまで媚びるなんて。早く来てよ、テル。こいつ、威圧的で私の苦手なタイプだ。殺されたらどうしよう。現金なもので、私はテルを頼っていた。

「交番なんかに駆け込まないだろ」

「あんたが勝手に帰るって言ったから、思わず言ったのよ」

「何で嘘なんか吐くんだよ。嘘吐くエネルギーが勿体《もったい》ねえじゃん」ミミズは逆光になった太陽に手を翳《かざ》して私の顔をまだ観察していた。「それよっか暑いな。どっか涼しいとこで話そうぜ」

ミミズは尻ポケットからキャップを取り出して被り、さっさと歩きだした。

「ちょっと待ってよ。ユウザンの自転車どうしたの」

「新しいのをかっぱらったから捨てた」

「捨てたって、ユウザンの物じゃないよ。そんなことして悪いとか思わないの」

ミミズはちらりと私を振り返った。目が据わっている。

「思わねえよ。非常事態だもの。戦争だもの。俺はそんなことを考える余裕なんかねえんだよ。全国一億の人間が、母親殺しの高校生はどこに行ったたって騒いでるんだからよ」

この痩《や》せたオトコはどうやって母親を殺したんだろう。撲殺したと聞いてるけど、この細長い腕で、女が一人死んでしまうのか。人を殺すって、どういう気持ち。それも、自分の母親を。私はミミズを怖ろしく思う一方で、あれこれと尋ねたくてしようがなかった。

ミミズは行く手に見える大きなショッピングセンターを指さした。

「あそこが涼めるから行こうぜ」

私は旅行先で見物するみたいに、きょろきょろと辺りを窺《うかが》いながらミミズの後を追った。ショッピングセンターなら殺されないだろうという安心感もある。ミミズは駅前の安売り店を顎《あご》で示した。

「俺、あんたが来てくれるっていうから、プールで体洗って、そこの店で一枚四百八十円のTシャツと三百円のパンツ買ったんだぜ」

「幾ら持ってるの」

「もうほとんどない。二万くらいあったけど、遣っちまった」

「何に遣ったの」

私の質問に、ミミズは答えなかった。

「食いもんや寝る場所は何とかなるんだけど、困るのは風呂だな。銭湯なんてないし、あっても汚れ過ぎてるから入れて貰えないだろうし、ほんとに困るよ。俺、ホームレスのおっさんが臭いのよくわかった。風呂に入れないからなんだ。それさえクリアできたら、一生逃げてたって平気だ」

「一生逃げられっこないよ」

「そうかな。ほんとにそう思う？」

いきなりミミズが振り向いて私の顔を見つめた。頭が良さそうな、鋭い目をしていた。私はあいつを思い出していた。あんなに好きだったのにあたしを裏切ったヤツ。あいつも時々そういう目付きをしてたっけ。心の底の底から、じわーっとまた憎しみが湧《わ》いてくる。悔しい。私をそんな目に遭わせたあいつが憎い。黙った私に、ミミズが重ねて聞いた。

「何で逃げられないと思うの」

「だったらやってみればいいじゃない」

「やってみるよ」

「一生なんて、できっこないよ。だってまだ十七歳でしょう」

「あんた。自分の一生がすごく長いと思ってるんだろう」

私はどきっとして立ち竦んだ。

「思ってるよ」

「そんなもの、人によって違うんだよ」

ミミズはショッピングセンターの中に先に入って行った。そこは映画館もあるだだっ広い建物だった。中央に天使が絡《から》み合ったありがちなブロンズのオブジェがあり、周囲のベンチに高校生風のカップルが寄り添って座っていた。私は、近くにあった自動販売機で冷たいお茶を買った。少し考えてからミミズの分も買った。とっくにベンチに座っているミミズは当然のようにお茶を受け取った。

「俺が母親殺しだなんて、ここにいる奴らは誰も信じないだろうな。顔写真が出ないってすごいことだ。ま、ネットには出てるだろうけど。あんた、ネットやる？」

「携帯でね」私は二つ折にした携帯を見せた。「その程度よ。パソコンは持ってない」

隣でいちゃついていたカップルが手を取り合って消えたのを潮《しお》に、私は思い切って尋ねた。

「どうしてお母さんを殺しちゃったの」

「理由なんか忘れた。どうでもいいんだ、理由なんて。カッとしたからなんだ。問題は、その時に別の世界に行っちゃった奴が、別の世界でどう生きていくかってことなんだ。元の世界をどう考えるかってことなんだ。わかるか」

「わかるかって偉そうに言うのやめてよ」

ミミズはちょっと驚いたみたいで、私の顔を不思議そうに眺めた。

「女って威張られるのが好きな癖に怒ったり、変だね。一貫性がないんだよ」

「一貫性がある方が変だよ」

私はこういう話をしているのが、実は楽しかった。興奮していた。ミミズは外見が不格好でみっともないけど、いろんなことを考えているし、何より母親を殺した後という違う世界をすでに見たヤツなんだから、そういう人物と話すということ自体が私を緊張させていた。私の経験してきたものでどれだけこいつと戦えるか、そんな感じだった。つまり、勝負なのだ。

「ねえ、あなた家に帰らないの」

「一回、帰るつもりだよ。そのための金が要るなあとぼんやり考えていたとこさ。でも、もうちょっと逃げてからだな。逃げるってことをもっと経験してみないと面白くない」

ミミズは痩せた脚を投げ出して、吹き抜けの天井を見上げた。丸い天井には市街の様子を大雑把《おおざっぱ》に描いたステンドグラスが塡まっていて、真夏の太陽光線がくすんだ汚い色合いに変わって白い床を染めていた。

「何で帰るの」

「オヤジも殺そうと思ってさ」ミミズは私の方を見遣《みや》った。「あんた、殺したい人いる?」

私は答えないでしばらく考えていた。あいつなら殺してもいい。私をオトコ不信にしたあいつ。今頃、どこで何をしてるんだろう。あの時の悲しさ、悔しさは私を変えた。変えたままにして、あいつはどっかに行ってしまった。

「いないこともないよ」

「ねえ、あんたはそいつをどうして殺したい。そいつの存在があんたを苦しめるからだろう。いなくなったらいいと思うからだろう」

「わかんないな」私は首を傾《かし》げた。「でも、死んだらいい気味だけど、復讐《ふくしゅう》できないから残念だと思う。私はそいつを悔しがらせたいんだもの。ああ、あんないい女を裏切って馬鹿なことしたなあって」

「それじゃ、甘い。存在を消し去らないと、そいつの存在によって、自分の心に出来た影が消えてなくならないんだ」

「殺した方が消えないじゃない」

「いや、消える。それはお前の心にある影そのものが些細《ささい》なものだからなんだ。大きければ大きいほど、無理矢理消してやらなきゃ駄目なんだ」

ミミズは頭が変だ。私は怖くなった。

「あなた、お母さんが死んで悲しくないの。それも自分で殺したんでしょう。お母さん、可哀相じゃない」

その時、私の携帯がけたたましく鳴った。テルからだった。

「キラリン。今、どこにいるの。大丈夫？」

「大丈夫よ。今、駅前のショッピングセンターにいる」

「これから高崎線に乗るから、着いたら連絡するよ」

テルが来てくれる。私はほっとして携帯を仕舞《しま》おうとバッグを開けた。ミミズが腕を伸ばして私の携帯を鷲掴《わしづか》みにした。

「軍が徴用する」

「やめてよ。何するのよ」

慌てて取り戻そうとしたが、ミミズはポケットに入れてしまった。私は焦って周囲を見回した。小さな子を連れた母親が二人。私たちが喧嘩していると思っているのだろう。微笑《ほほえ》ましい表情で眺めている。違うんだよ。こいつ、頭おかしいの。母親を殴り殺した少年なんだよ。こいつ、チャリで逃げ回ってるんだよ。どうやって訴えたらわかってくれるだろう。私は警備員に言おうと立ち上がりかけたが、横からミミズに腕を摑まれて、またべンチに引き戻された。ミミズは強い力で私の二の腕を押さえたまま、顔を覗《のぞ》き込んだ。

「キラリン。お前、俺のこと好きだろう」

「何言ってるのよ。ちっとも好きじゃないよ」

「だったら、好きにさせてやるぜ。来いよ」

何だ。このキメの文句は。私は咄嗟《とっさ》の対応ができなくておろおろした。ミミズは私の腕を引いて、入り口に向かって足早に歩きだした。

「お前は誰かに俺と会ってること喋ったろう。お前は怖いもの見たさで俺に会いに来たんだから、俺と一緒に変わろうぜ。俺はお前を変えてやれるよ。お前を騙したオトコに、ひと泡吹かせてやろうぜ」

「どうやって」

聞き返した私の中には、そんなことができるのなら、悪魔に魂を売ってもいいと思う気持ちが少しあった。

「一緒に悪いことするんだよ。それから二人で東京に帰って、オヤジを殺そう。お前も違う世界に連れてってやる」

違う世界。私が開けなかったドアの向こうに広がっていたかもしれない世界。私は憧《あこが》れと怖れとを同時に持った。ミミズが力任せにマットを踏み付ける。ショッピングセンターの安っぽい自動ドアが左右に開いた。炎熱の外気が膚《はだ》に触れた。

「さてと、まずはタクシーに乗ろうぜ」

「タクシーに乗ってどこに行くの」

「中山道《なかせんどう》だからな。やっぱり軽井沢だろう。涼しいぜ」

「お金なんかないって言ったじゃない」

「金をかけないで行くんだよ。もうチャリはうんざりだ」

「無理だよ」

「まあ、見てろ。さっき包丁を買った」ミミズは背負ったデイパックを得意気に揺らした。

「一万出したんだから、切れるだろう」

タクシー強盗かなんかをする気なのだ。

「やめた方がいいと思う」

「どうして」

ミミズは立ち止まって私の顔を見つめた。鉄錆《てっさび》のような若い男の匂いがした。渋谷で私に声をかけるオトコの中には、時々、こういうヤツがいる。そういうオトコはガツガツとセックスしたがった。ミミズは性欲でなく、別の欲に突き動かされている。その正体はわからなかった。でも、私は、鉄錆の匂いのするオトコが決して嫌いじゃなかった自分を思い出していた。

第五章　ミミズ2

女の忍び笑いが聞こえる。俺の視界に真っ先に飛び込んできたのは、薄汚い緑の遮光カーテンだった。オフクロがピーコックで買って俺の部屋に吊《つ》り下げた代物《しろもの》にそっくりだったから、俺はてっきりてめえの部屋で寝ているものと勘違いした。久しぶりにベッドで、それも深く眠ったので、記憶が吹っ飛んだんだろう。俺は、オフクロを殴り殺した事実をすっかり忘れて、オフクロという女の存在をただ忌々《いまいま》しく思っただけだった。俺が寝ている間に入って来やがって、こそこそ喋《しゃべ》んなよ。うるせえんだよ、出てけ。てことは、俺にとっての唯一の身近な女は、オフクロだったたってことになる。

「ぜってー、だいじょぶだって」

だが、喋っているのは、会ったばかりの女だった。気恥ずかしい名前を自称している女子高生。俺はオフクロが死んだことをやっと思い出した。良かった、あいつはもうこの世にいない。俺の世界から永遠に消え去ったんだ。心の底から安堵《あんど》した俺は声を出さずに笑った。すると、頬《ほお》から顎《あご》にかけてべっとりと濡れているのに気付いた。寝てるうちに涙を流したのかとマジ焦ったが、涎《よだれ》だった。俺は手の甲でこっそり涎を拭《ぬぐ》った。眠っている振りを続けてキラリンの話を盗み聞きすることにしたからだ。この女、何考えてるのかわからねえ。どうして俺に近付いてきたのかもわからねえ。思想傾向を事前に調査するのは、兵事係の仕事だ。俺が兵事係なんて言葉をなぜ知ってるのかわからないが、今の俺は何でも知ってる。チャリに乗って必死に眠気を堪《こら》えていた時から、フィリピンでリンチされた兵士の霊が俺にくっついている。

「テルの心配はわかるけど、あたしはだいじょぶよ、オッケー。ほんと、心配してくれてるのは嬉しい、ありがと。あいつはちょっと変だけど、面白いよ。だってさ、駅で落ち合う時に、互いの服装言い合うじゃん。それを、俺は二等兵の格好してるから、なんて言うんだよ。頭おかしいでしょう。変な奴。でも、あたしには危害加えないよ。根拠ないけど、それだけはわかる。だから、帰っていいよ。場所は言えないよ。あるラブホ。え？　やってないよ、やってない。あんな奴とやる訳ないじゃん。わかった、その時は電話するよ。心配しないで。渋谷の男といるよっか安全だって。それにさあ、あたしはあいつと一緒に復讐《ふくしゅう》したい気持ちになっちゃってるのよ。違うよ、母親じゃないよ。ワタルのことだよ。ワタルって、結局、あたしにすっげー残酷なことしでかしたよね。あたしはワタルを愛してたから、中出しだって許してあげた訳じゃない。なのに、浮気なんかしやがってさ。それもチョー馬鹿な女とでしょう。あたしのことナメ切ってたからできたんだとか思ったら、急に許せなくなってさ。一年以上も前のことだけど、すっげー、心がどす黒くなってるんだよね。あいつ呼び出して、ぶっ殺してやろうかと思ってる。ほんとブラックだよ。ブラック・キラリン。みんなの可愛いキラリンらしくないよね。でも、それが何だか快感でもあってさ。テル、わかるってほんと？　わかってくれる？　あたし復讐したいなんて思ったの初めてなんだよ。そしたらすっきりしてさあ、何かいまだかつてない快感感じちゃうんだよ。という訳で、ちょっと待っててよ。へへ、そうなんだよ。あたし、言葉遣いまで下品になっちゃったよ」

キラリンは小さな嘆息を洩《も》らした後、テルとかいう奴との電話を切った。そして、また電話をかけた。きっとユウザンとかトシとかテラウチとか、冴《さ》えない女連中の誰かだ。留守電に吹き込んでいる。俺が寝ている間に、俺が徴発した携帯を奪い返したのだろう。案外、侮《あなど》れない。

「キラリンだよ。メールじゃなくて電話ちょうだい。すごいことになってるの。報告したいから。じゃね」

俺は起き上がって、いきなりカーテンを開けた。田んぼの向こうに、ここと同じようなラブホテルが建っていた。ヨーロッパの城でも気取ってるんだか、屋根に巨大なドームが載っかってた。その上に大きなオレンジ色の三日月が見えた。シュールじゃねえか。大仁《おおに》田《た》の頭にぶっ刺さる鎌《かま》みてえだ。ポーゴと大仁田厚が戦った時の興奮。俺は心浮き立つ思いでその光景を眺めた。

「よく寝てたねえ。いびき掻《か》いてたよ」

　キラリンが慌てた様子で電話を切り、鼻にかかった甘え声を出した。突然、俺は、妹という存在に憧《あこが》れを持っている馬鹿のことを思い出した。そいつはエロマンガを描いちゃ、学校に持ってくるんだが、必ず「お兄ちゃん」と主人公を呼ぶ女のキャラが出てくるんだ。当然、『お兄ちゃん』はセーラー服を着た『妹』に、「お前、脱げよ」とか言って裸にしてじわじわ凌辱《りようじよく》する。『妹』は「やだ、やめて」なんて言いながらも、自分でパンツ脱ぐんだ。馬鹿だろ。そいつは東大法学部現役合格確実みたいな頭のいい奴だが、エロマンガの嗜好《しこう》は呆《あき》れるほどワンパターンだった。笑えるのは、そいつが皆の前で自作のマンガを読む時さ。そいつが『妹』を演じる時は、鼻にかかった甘え声でやるんだ。「お兄ちゃん、今日はお仕置きしないで。真由こわーい」ってな。前置きが長くなったけど、キラリンの声は、そいつの演《い》じる『妹』にそっくりだったんだ。俺はすっげえむかついた。

　俺は妹なんか要らない。いや、女そのものが要らない。俺は変化した。ここに来て風呂に入ったせいだろう。ソルトスーツを脱ぎ捨てた途端に、別の人格を身に付けることができたんだ。それは旧日本兵の魂だ。

だって、俺は人並み外れたスケベだったはずだ。マンションに住んでいた時は、隣の奥さんが好きで、盗み聞きしたばかりか、下着を盗もうとしたし、引っ越してからはトシを覗き見る喜びに浸っていたんだから。なのに、今は違う。俺はスケベじゃなくなった自分の変貌《へんぼう》、いや進化が嬉しかった。そうこなくちゃ、戦闘態勢に入れない。俺はキラリンに厳しく注意した。

「お前、そういうアニメ声出すなよ」

「悪かったわね、アニメ声で」キラリンの表情が翳《かげ》った。「地声なの」

「地声じゃねえよ。男に媚《こ》びるお前のサガが、声に表れてるんだ。俺はそれを叩《たた》き直してやるから、楽しみにしてろ。それに、お前、誰に断って携帯使ってるんだ」俺はキラリンがまだ手に持っていた携帯を乱暴にもぎ取って、パンツのポケットに仕舞《しま》った。「軍が徴発したんじゃねえか。いつ盗ったんだ。営倉に入りたいか、こら」

「エイソウって何よ。馬鹿」

キラリンがむかっとした顔で、横を向いた。それでも、目付きに媚びがあるような気がする。こいつ、殺人者の俺と一緒にいるんでスリル感じてやがる。スケベな女だ。

「馬鹿じゃねえよ。俺の命令聞けねえのか」

「偉そう。いったい何様だと思ってる訳」

キラリンが文句を垂れた。俺は、その唇の突き出し方が気に入らなかった。エロい。オフクロに引き続き、俺はエロい女を掃討《そうとう》しなくちゃいけないのだろうか。誰か命令してくれないか。俺は部屋を見回して上官を探した。が、誰もいなかった。

「そういう言い方やめろ」

「何よ、頭にくる。ホテル代出すのだってあたしでしょう。あんたは軽井沢に行こうとか言いながら、眠くて堪《たま》らんって道路に倒れそうになったんじゃないよ。そのまま置いてくれば良かった。あたしが一緒じゃなきゃ、ラブホにも入れないだろうって親切心を出したのがまずかったよ」

「俺が倒れたのは、行軍が厳しかったからだ」

「いかれてるよー」

キラリンがけたたましく笑った。その声が耳に障り、俺は頭を掻きむしりたくなった。俺だけが前線に取り残され、俺だけが戦争をしているという事実。フィリピンの爺《じい》さんや婆《ばあ》さんにリンチされる前に、ジャングルに逃げ込まなくてはならない。そして、兵力を立て直し、次の戦いに臨まねばならない。俺の戦争は始まったばかりだった。それが俺の世界なのだ。この女を早く戦闘要員に教育しなくてはならない。俺は古参兵なんだから。

「おい、初年兵。俺のチンコ舐《な》めろ」

嫌がらせをしてやろうと思って言っただけなのに、俺のペニスはみるみる硬くなった。「やだよ、馬鹿」意外な力で、キラリンが俺の手を振り払って部屋の隅に逃げた。「あんた、最低。頭、おかしいんじゃない」

「頭おかしいに決まってるだろが。俺はオフクロ殺したんだぜ。こうやってバット持って追っかけて頭ぶち割ったんだぜ。お前、できっかよ」

俺は枕を持ち上げて、バットのつもりで力一杯振り下ろした。枕から綿ゴミや髪の毛や陰毛がそこらに飛び散った。キラリンはさも汚《けが》らわしい物を見る目で枕を、そして俺を見た。

「できっこないよ。あたし、母親好きだもん」

「じゃ、父親はどうだ」

「父親かあ。だったら考えなくもないな」キラリンは急に目を泳がせた。「うちの父親って、すっげえ冷たいんだよ。中学の時に、夜中に電話がかかってきたんだよ。あたしが取ったら、女の人がいきなりこう言ったの。『お父さん、いる。いるなら出してよ。あたし、もうじき死んじゃうから』って。それって子供に言う言葉か。違うだろ。腹立つよね。勝手に死ねって感じ。でも、あたしはまだ幼かったから、急いで父親を起こしに行ったわよ。母親に知られないように気を遣ってね。そしたら、父親なんか寝た振りこいちゃってさ、知らんぷりよ。こんな男だったのか、情けねえ、と思った。女の人が可哀相に思った。でも、どっちもどっちな訳じゃん。そして、そういう父親と結婚してる母親もやだなと思って、大人不信ていうか、むかついてた時があった。お前ら、みんな大嫌いだ、特に父親。

ぶっ殺してやろうかって思った瞬間は何度もあったよ。でもね、もうどうでもいいの。殺意なんかないよ。だって、あたしは自分の好きなことできる歳なんだもん。だから思うんだけど、あんたのしたことは間違いだよ。やり過ぎ。あんたのお母さん、ほんとに可哀相だよ。あんた、きっと一生苦しむと思うよ」

俺はキラリンの断言に腹が立った。俺の一生は他人の時間と進む速度が違う。ちょっと古いが、あれ以来、ターボがかかったのさ。だから、俺が自分の世界をどう変えようと俺の自由だ。他人に指図されたり、断罪されたりする謂《い》われはねえよ。俺が俺の世界を統《す》べる。俺が俺の世界を成立させるための戦闘の指揮を執《と》る。が、俺はキラリンの態度に不安を持った。

「いやに自信あるな、お前。まさか、俺の武器を取ったんじゃねえだろうな」

俺はベッド横に置いてあった背嚢《はいのう》の中を探った。確か、買ったばかりの牛刀を入れておいたはずだ。広場に引きずり出されて、痩《や》せたジジイのドロップキックを食らう前に、ババアの唾《つば》を浴びる前に、金槌《かなづち》で頭をかち割られる前に、相手をぶっ殺す道具。牛刀は平べったい箱に納まったままだった。キラリンは手で口を隠していたが、明らかに俺のうろたえる様を嘲笑《あざわら》っている。

実感だ。俺は突然、気付いた。実感がねえんだ、こいつには。俺が戦争の真っ最中だっていうのに、こいつには俺の戦いなどどうでもいいんだ。だから、へらへらしてる。戦闘中の俺を、ただ見に来ただけなんだ。こいつも、こいつの友達も、皆で俺を観察して楽しんでやがる。そうさ、俺はオフクロ殺しだ。俺は一生、涙に暮れるんだろうよ。安っぽい同情しやがって。突如、怒りが湧《わ》き上がった。

「お前、俺のことが変だと思うなら帰れ。俺は見世物じゃねえ」

「へえ、案外、まともなことも言えるんじゃない」

「まともだよ、俺は」

　俺は少し脅かしてやろうと思い、包丁の箱から中身を取り出した。黒い柄を握り、ひゅんひゅんと振って見せる。牛刀は長くて切っ先鋭く、いかにも禍々《まがまが》しかった。俺は牛刀を腰に吊る方法はねえか、と辺りを探したが、浴衣《ゆかた》の紐《ひも》くらいしか見当たらない。それじゃ笑われるだろうと諦《あきら》めた。ふと見ると、キラリンは部屋の壁際で凍り付いていた。俺を見る目に大きな尊敬がある。いや、恐怖だ。どっちでもいい。ともかく、女のそういう混乱した顔を見たのは二度目だった。バットを握る俺を認めた時のオフクロの表情が蘇《よみがえ》り、嫌な気になった。信じていたものががらがらと崩壊した瞬間というか。俺を舐め切ってた自分を激しく反省してるというか。滅茶苦茶な状況の顔だったことは確かだ。

　オフクロには明らかに落ち度があった。俺に討伐されるだけの歴史を作ってきた罪がある。俺を思いのままに動かし、俺の人生を誤らせ、俺の秘密を暴露して恥を掻かせた罪が。俺はオフクロの植民地だったのだ。ゴム農園を作らされ、夜明けから夜中まで働かされ、収穫はすべてオフクロが持って行く。収奪されるだけの植民地。何を奪われていたのかはわからねえ。でも、俺は確実にオフクロに何かを奪われ続けてきた。キラリンには、まだ俺に討伐される理由は何もない。エロいくらいじゃ、足らない。俺は牛刀を持った手を下ろした。俺はまだまともだ、狂ってない。

「あたしはあんたを助けてあげようと思ってるのよ。だから、あたしを脅すのはやめてよ」

キラリンの目に涙が溜《た》まっているのが、離れていても見えた。あれ、お前は俺を尊敬してるんじゃねえのか。俺は不思議に思いながら、牛刀を元の箱に戻した。

「その通りだな。お前は志願兵になったんだからな。つまり、戦友だ。大事にしなきゃいけないと思う。だけど、俺の軍隊に入ったからには、命令を聞かなくちゃならない。軍隊には階級と命令しかねえんだよ。お前は初年兵。俺は古参兵だから、お前は俺の身の回りの世話をする義務があるんだ」

「それがチンコ舐めろってことな訳」

キラリンは呆れた口調で叫んだ。

「そうだ。やってみろよ」

俺はずかずかと近付いて、キラリンの頭頂部の髪を摑《つか》んだ。キラリンは、「やめてよ」と叫んで俺の手をいとも簡単に振り払った。俺の膚《はだ》にざわざわと鳥肌が立ち、俺はびっくりして立ち竦《すく》んだ。なぜなら、オフクロの髪を摑んだ時、こいつは女だ、と感じて、エロいオフクロがえらく気味悪く思えたことを思い出したからだ。てことは、俺はオフクロの罪ばかりか、エロい部分も掃討したことになる。エロい部分てのも、罪の一部なんだろうか。考えているうちに何が何だかわからなくなり、俺は灰色のカーペットが敷かれた床に落ちていた枕を蹴った。

「あんた、何で軍隊に拘《こだわ》るの。軍事オタク？」

キラリンは冷蔵庫から、ポカリスエットを出した。俺はフィリピンでリンチにあった兵隊と俺が同じだと思ったことを言わなかった。エロい女にそんなこと言っても仕方がねえ。キラリンはさも不味《まず》そうにちびちびとポカリを飲みながら、俺に聞いた。

「あなた、どうしてお母さんを殺しちゃったのよ。どうやってやったの」

「お前に言ったって仕方ねえだろ。検事みたいなこと聞くなよ」

俺は肩を竦めた。

「だって、知りたいもん」

キラリンは組んだ脚をぶらぶらさせた。俺はキラリンの脚の産毛が金色に光っているので驚いた。オフクロの脚は、男のような黒く長い毛が沢山生えていた。俺はそれが動物っぽく見えて、すごく嫌いだったからだ。

「お前の脚の毛は何で外人みたいなんだよ」

「脱色してるの」キラリンはそんなことも知らないでよく生きてきたね、という顔でまたも馬鹿にした。「夏になると女はみんな剃《そ》らないで脱色するの。あんたたちがしこしこ勉強してオナニーしてる間に、女はもっと賢いことしてるの」

「それ、俺にもやってくれよ」

「脱色剤、持って来てないもん」

「買って来いよ。コンビニ、近くにねえか」

キラリンは笑い転げた。

「何でそんなことする訳。あんた、逃げ回ってるんでしょう」

答えははっきりわかっていた。俺はもっと強く、違う人間に生まれ変わりたいだけなのだ。ソルトスーツの代わりに、金色の脛毛《すねげ》で武装するとカッコイイと思ったのだ。俺はもう一度ベッドに戻って横になった。まだいくらでも眠れそうだった。キラリンは備え付けのテレビに百円玉をふたつ入れた。あちこちのニュースを見ていたが、やがて歌番組にチャンネルを替えて、振り向いた。

「もうあんたは世間から忘れられたんだ。どこもニュースやってないよ」

俺は起き上がった。

「ほんとかよ」

「あれだけ騒いでいたのに、何もやってない」

「おい、お前の友達で一番頭のいい奴は誰だ」

「テラウチ」即座に答えが返ってきた。「あの子が一番頭がいいと思う。顔もクラシックで綺麗って言えないこともないし、ダサイけど悪くないよ。でも、暗いところがあって、何を考えてんのかよくわからない。いつもは馬鹿なことばっかり言ってだらだらしてるけど、テストとなったら要領はいいし、てきぱきやるし、謎の女だよ。あたしたちのグループは、何だかんだ言ってもテラウチに頼ってるとこがあってね、時々、癪《しゃく》に障ることもあるけど、敵《かな》わないし、面白いから好きだよ。あたしはテラウチの暗いとこが、あんたに少し似てる気がする。どこが似てるかわかんないけど。下手《へた》すると、テラウチって、あんたみたいなキレる奴なのかもしれない」

テラウチは、俺がトシの携帯を使って滅多やたらと電話しまくってた時、突《つ》っ慳貪《けんどん》に切った奴だ。俺はユウザンやキラリンより、テラウチの反応の方が軍人らしいと思った。それも、カデだ。カデというのは、士官学校出身のエリートだ。馬鹿なことばっかり言ってるのは、キラリンやユウザン程度の奴に話を合わせているせいだ。いざとなれば要領がいいのは、真の兵士だからだ。俺は急に、テラウチだけは使えるかもしれんと思えてきた。

「テラウチのこと、もっと話せ」

「ちょっとちょっと、その命令口調やめてくんない」

キラリンが唇を尖《とが》らせる。男に媚びることが習性になっている。

「媚びるのやめろ。姿勢を正せ」

キラリンは顔を顰《しか》め、舌打ちして何か言った。俺の耳にその呟《つぶや》きが聞こえてくる。

『義は山嶽《さんがく》よりも重く、死は鴻毛《こうもう》よりも軽《かろ》しと覚悟せよ』

「お前、今何て言ったんだ。俺よりすげえこと知ってるじゃねえか」

「何も言ってないよ」

キラリンは薄気味悪そうに俺を見た。俺の耳は空耳アワーだ。俺は愉快になった。もしかすると、俺は天才かもしれない。問題は、それを誰も知らないということだ。これはすべてオフクロの責任だ。オフクロの施した家庭教育と、強要した学校教育のせいで、表れてこなかったのだ。俺が天才だということを広く大衆に知らしめたいのに、部屋に証拠も残してこなかったのが俺の落ち度なんだろう。完全にぶちキレる前に、何か書き留めておくべきだった。

「少年犯罪者って、大概、早熟で天才過ぎて、学校教育に合わなかったとか言われるだろう。だから、俺もサカキバラみたいに世間を驚かすような小説か詩を書いといてやろうと思うんだ。才能があることがわかるようなものを」

「そうかなあ。どっちかって言えば、家庭環境ばっか言われるじゃん。親に虐待されたとか、離婚家庭とか、愛情不足とか。あんたのとこは、まっとうなんでしょう」

俺はキラリンの言うことを聞いてなかった。

「そんなこと言ってんじゃねえよ。俺は犯行声明のことを言ってるんだよ」

「じゃ、やれば」

　理解できないらしいキラリンは、面倒臭そうにポカリをひと口飲んだ。

「できねえよ」俺は声を荒らげた。「そんな暇あるかよ。俺は追われてんだぜ。それに、俺はオヤジを殺すために東京に戻らなくちゃならねえ。そんな暇あっかよ」

「じゃ、諦めれば」

「いや、諦めねえよ。何とか、オヤジを殺す前に用意した方がいい」

「それ本気？」キラリンは真剣な目で俺の顔をちらと窺《うかが》った。「ねえ、そんなことやめなよ。マスコミに踊らされてるだけじゃん」

　俺は聞いてなかった。正論こいてる場合じゃねえ。

「テラウチに書かせよう。そいつ俺にどっか似てるって言ったじゃねえか。頭良くて、要領もいい奴なんだろう。だったら、テラウチに原稿依頼する。ていうか、参謀にする。ていうか、プロパガンダ担当にする」

「原稿依頼だって、馬鹿じゃないの」

　キラリンは笑い転げたが、俺はマジだった。さっき徴発し直した携帯をポケットから出して、キラリンに渡した。

「テラウチに電話しろ」

「あんたが自分ですればいいじゃん」

「俺のはバッテリーが切れそうだ」

「あたしのだって切れそうなのに」キラリンはぶつくさ言ったが、携帯を投げて寄越《よこ》した。

「短縮の5だよ」

「あだー」と、糞《くそ》面白くもない答えをする女がまるで電話を待っていたかのようにすぐ出てきた。

「俺、ミミズだよ」

ほんの一瞬、沈黙があったが、きびきびした声に変わった。

「嘘でしょ。何であたしに電話してくんのよ。迷惑なんだよね」

いかにも頭の回りが良さそうな低い声で、早口に喋る。俺の一番苦手な女だった。弱兵のキラリンとは大違いだ。

「話があるんだよ」

「ミミズって、自分で名乗ってるんだから世話ないよね。トシちゃんが付けた綽名《あだな》なのに」

「どうでもいいだろ、そんなことは」

俺は早くもテラウチのペースに乗せられて苛立《いらだ》った。

「あなた、キラリンと一緒にいるってほんとなの。いるなら代わって」

俺の寝てる間に、キラリンがあちこち電話しまくったんだろう。が、それを認める訳にはいかなかった。

「機密だから答えられない」

テラウチが厳然と言った。

「もういいから、キラリンに代わってよ。だって、その携帯、キラリンのだもの。あの子、生きてるのかねー。そのくらい、知りたいよ」

俺は仕方なくキラリンに電話を手渡した。キラリンは、電話の応対の時だけ出す愛想のいい声で答えた。

「心配しないでよ、テラウチ。ごめんねー、みんなに心配かけて。あたしも意外な体験してるんで驚いているんだけどね。うちにはテラウチのところに泊まってるって電話しておいたから、よろしくね。ミミズとは適当に別れるから安心してよ。何も危なくはないよ、変な奴だけど。ちょっと待って、ミミズに代わる。テラウチに相談したいことがあるんだって」

テラウチは怒っていた。

「相談って何よ。あんた、キラリンを脅してるんじゃないの。あの子はいい子なんだからさ、騙《だま》さないでよ」

「騙されてるのはお前たちだろが。あいつ、結構いいタマだぜ」

「それ、どういうこと」

ああ、うぜえ。俺は女たちの力関係だの、友情だの、ほんとの自分、だのはどうでも良かった。

「それよっか、俺の代作してくれねえか」

「ダイサクって何だよ。オガタダイサクかねー」テラウチはつまらねえ冗談を言った。

「それともイケダかねー」

「ウケねえよ、バカ。お前、母親殺しの少年になったつもりで小説を書け。短くてもいいから、サカキバラに負けないような奴だ。ドストエフスキーだの、ニーチェだのをちりばめてくれよ。ちりばめ方もうまくやれよな。出典がわからないようにするんだ。あとはエヴァンゲリオン風にまとめろ。それよっか、訳のわかんねえアバンギャルドな奴の方がいいかもな。人生論ていうか、人生という不条理を嘆くというか。頼むよ。もし、小説が無理なら詩でもいい。訳わからなくさせて、形つけるなら詩の方がいいかもな。なるたけ精神鑑定に役立つような奴だ。つまり、俺の人格を見破らせないで、攪乱《かくらん》させるものだ」

テラウチがえーっと驚いた声を出した。

「あたしがする訳？　何で。原稿料でもくれるのかねー。それでも割りが合わねえよ。だって、あんたが捕まったら、あたしの作品が発表される訳でしょう。評判になったら、作者のあたしが損。評判にならなくて、あたしの作だってばれたら、あたしは問題になるじゃん。大損。どっちにどう転んだって損じゃん」

「お前が作ったってばれなくて、駄作だって言われたら、俺の損じゃん」

「じゃ、自分で作んなさいよ」

テラウチはふふんと鼻で笑った。

「馬鹿。作れたら、世話はねえよ」

「できないんでしょ。笑うよね。あんた、K高の落ちこぼれなんでしょう。入ったはいいけど、燃え尽きちゃったんでしょう。あたしはやだよ、忙しいもん。英語と古典と地理と、夏期講習三つも取ってるのにさ。何で天王山の夏休みにそんなことしなくちゃならない訳。あと五カ月だよ。どうせ、あんたは少年院に入るんだから関係ないだろうけどさ。ユウザンの話じゃ、東大受験も諦めなきゃな、とかまだアホなこと言ってたって聞いてるよ。見栄張ってるのね。あんたみたいにキレて母親殺す奴って、最低だと思うよ。子供の癖に、子供だって自覚がないからよ。母親殺して、追われて、何が楽しいのかねー」

「楽しくなんかねえよ」

「じゃ、どうして小説書けなんて言うのよ。あんたの手記の方がよっぽど面白いよ。犯罪心理学的に言えばね」

テラウチの喋りは止まりそうもなかった。俺はクソ暑いチャリの上で、人格が変わったことをこいつに言いたかったのだが、言っても仕方がないという気がした。だから、俺は一気に攻めることにした。

「書かねえのなら、あいつ殺すぞ。キラリン。さっき牛刀買ったんだ。一人も二人も同じだもんな。刺し心地試してみるよ」

一人も二人も同じ、という殺人犯の常套句《じょうとうく》が俺の頭を支配しそうだった。「死は鴻毛よりも軽し」だ。

「えーっ、マジなの」

さすがにテラウチが叫んだ。俺の後ろでキラリンが「嘘、嘘。脅しだよー」と言った。俺は、キラリンを突き飛ばした。キラリンは後ろにこけたが、何が可笑《おか》しいのか笑い転げている。頭に響くような異様な笑いだった。ヒステリー起こしてやがる。俺は笑い声が聞こえないように、必死で電話の送話口を手で覆《おお》った。それでも止まらないので、俺はキラリンの口を手で押さえ込んだ。

「ほんとに殺しちゃうかもしれないぜ。俺、頭かなり、おかしくなってるからさ。それから、このこと警察に言うなよ。言ったら終わりだぞ」

「わかった。書くよ」テラウチは溜息と共に妥協した。「で、いつまでに書けばいい」

「俺が逃亡中に書いたことにするから、なるべく早く。三日以内。できたらキラリンの携帯にメールで送ってくれ。俺がそれを書き留めて常時携行することにする。だったらいつパクられたって、見せられるだろう」

「じゃ、手記みたいなやつ？」

「さっき言ったじゃねえか。小説か詩だって。創作に決まってんじゃねーか」

「てことは、内省なんかしてない方がカッコイイってことかねー」

妙に賢いテラウチの提案を聞いて、俺は考え込んだ。確かに内省なんかしたら、俺が自分の戦闘を否定することになる。俺はテラウチに命令した。

「あくまで戦え」

「はいはい、特攻するのね」

テラウチはクールに言うなり、ガチャ切りした。その音が、俺に対するテラウチの限りない軽蔑《けいべつ》を表しているような気がして、腹が立った。だが、任務をひとつ遂行した俺は満足して、床にまだ転がっているキラリンを見下ろした。ヒステリーの治まったキラリンはぶすっと横を向いている。

「消灯。明日はタクシー強盗で資金を得る」

俺はベッドに横になったが、キラリンは汚いカーペットの床に倒れたままだ。俺は頭にきて怒鳴った。

「どうしたんだよ。そこで寝るのかよ。お前、何が気に食わねえんだ」

「何でもねーよ」

床から不機嫌な女の声。俺はそんなことより腹が減って気が狂いそうだった。朝、菓子パンを一個食っただけで何も食べていなかった。が、兵站《へいたん》はない。俺は枕を空きっ腹に押し当てて眠ろうとした。その時、床で啜《すす》り泣く声がした。

「泣くなよ。うぜえから」

「あたしのこと、女とか思ってない訳?」

殺してやろうか。俺は本気で思った。何とか怒りの衝動を抑えているのに、キラリンの呪詛《じゅそ》は続いた。

「何かさあ、頭にくるのはこっちじゃない。だって、あたしの立場ってまるでないっていうか、プライドずたずたっていうか。こういう目って遭ったことないよね。そりゃ、あんたは頭が変な奴だということはわかってるけど、あたしは相当なリスク負って、ここにいる訳じゃん。母親殺しの犯人とひと晩一緒にいたっていうだけで、あたしの経歴は傷だらけよ。もうお嫁にも行けないよ。キュートなキラリンからブラック・キラリンだよ。なのに、テラウチにはあんない い顔して、頭脳使うカッコイイ役回りさせて、あたしは人質か。あんたはあたしのこと、初年兵とか言ってこき使おうとしてた癖にさ。それってないと思うけど」

「あいつはカデだからかな」

「カデって何よ」

「将官クラスってこった」

突然、キラリンが闇《やみ》の中で立ち上がった気配がした。俺は正直言って怖くなった。うざい女、エロい女は掃討しようと思っていたのに、今度は、邪魔する女がいる。折角うまくいったテラウチとの密約を破綻《はたん》させるのかと俺は身構えた。

「あたし、何でここにいるの」

キラリンが叫んだ。唾が飛んで、俺の顔に当たったが、俺は黙っている。そんなことはお前が考えるこった。俺は俺の戦闘で手一杯だし、今日を生きるのに必死なのだ。

「答えなよ。何でここにいるんだよ」

「何でってお前が勝手に付いて来たんだろうが」

「嘘だよ」キラリンがベッドに上って来た。「嘘だ。あんたが『お前も違う世界に連れってやる』って言ったんじゃない。だから、だからあたしは付いて来たんだよ。あんたが『俺と一緒に変わろうぜ』って言ったんじゃない。なのに、あんたは兵隊ごっこしてるだけで、ひと泡吹かせてやろうぜ。俺はお前を変えてやれるよ。お前を騙したオトコに、あたしのことなんか、どうでもいいんだもん。ほっぽりっ放しじゃない。あんたはテラウチに自分の詩を書かせるって言ったけど、あたしにはどうして書けないと思ってるのよ。あたしだって、詩くらい書ける。寄せ集めの文章なんか、誰だって書けるんだよ。テラウチはカデとか何とか訳のわからないこと言ってたけど、あたしは兵隊なの？　馬鹿にすんなよ。差別するなよ。あんたはすっげー狡《ずる》いよ。こんな程度のものがあんたの戦争なら、あたしは参加しない。だって、酷《ひど》い目に遭うだけだもん」

キメのセリフを言ったのは、自衛隊みたいにキラリンを勧誘して入隊させるためじゃなかった。そんな気分だったから言ったまでだ。その時、思ったことが今は違っている。それは、真実とは言わねえのか。矛盾が悪いのか。俺は眠気と食い気の醒《さ》めた惨めな頭で、どうやったらこの反乱を収められるかを必死に考えた。いきなり、キラリンが俺の体の上に馬乗りになった。俺は重さに喘《あえ》いだ。

「降りろ、馬鹿」

キラリンは俺の両腕を頭の上に押さえ付けて、耳許《みみもと》で囁《ささや》いた。

「それとも、あたしが違う世界に連れてってやろうか。あんた童貞の癖して、何、カッコつけてんだよ。十年早いんだよ」

エロい。エロ過ぎる。キラリンの華奢《きゃしゃ》な股関節が俺の下腹部に当たった途端に、俺は腹を立てているのに、やすやすと勃起《ぼっき》した。どうしたらいいかわからねえ。誰も女とのやり方を教えてはくれなかった。だって、こいつは自分でパンツ脱ぐ『妹』じゃねえんだからよ。女を勝手気ままに扱えるのはマンガの中だけだ。俺はとりあえずキラリンの腕を外し、強く抱き寄せてみた。柔らかくて気持ちがいい体。少し汗臭い髪。細い骨。ついにセックスするのか。『憂国』みたいなもんか。俺は三島由紀夫が褌《ふんどし》姿で日本刀を提げている姿を思い出して痺《しび》れた。女なんか要らない体になったはずなのにどうしてだ。精神と肉体の辻褄《つじつま》はどうやって合わせる。俺がまごまごしていると、キラリンが俺を突き飛ばしたので、俺はベッドのヘッドボードで頭を打った。

「痛えな。何すんだよ」

「下手糞。セックスが下手な兵隊は、戦争も下手なんだよ」

畜生。俺は必死にキラリンにむしゃぶりついた。俺が上に乗って、服を剝《は》ぎ取り、脚を開かせ、ペニスを挿入しなくちゃならない。どうやって。舐めろ、と命令したら、キラリンは素直に俺のペニスを口に入れるだろうか。これも戦時下におけるレイプと言われるだろうか。俺の頭は高速回転を始めた。だが、どんなシミュレーションも役に立たなかった。面倒だ。いっそ、殺してしまおうか。思考回路がショートして、簡単な決着を付けたがる。俺は焦った。これが戦争なんだ。これが戦争なんだ。殺しちまえ。暗闇の中で、キラリンが俺を睨み付けているのがわかった。冷ややかな声。

「やめてよ。あたしに触らないで。あたしは殺人犯と寝る気はないんだからね」

俺は手を離した。俺はキラリンというリアルな敵が怖ろしくなった。俺が戦うべき敵、警察も世間も、まだ俺の前に姿を見せない。だが、ここに強力な敵がいる。乗り越えられない壁。殺せ。殺せ。思考回路を遮断しろ。

「あたしはワタルに復讐するっていう思い付きに夢中になっただけ。あんたが違う世界を見せてくれるっていうから、ちょっとわくわくしただけ。でも、あんたと一緒にいても、この先、碌《ろく》なことなさそう」

キラリンはベッドから下りて、乱れた髪を手で梳《す》いた。

「あんたに興味がなくなった。あたしは帰る」

本当に出て行く気か。俺は急に現実に引き戻された。

「部屋代くれよ」

「嫌よ。あんたの犯罪を助けたことになるじゃん」

俺の思考回路がぷつっと音を立ててショートした。煙さえ出てる。俺は素早く行動した。ベッドの下にあった背嚢から、牛刀の入った箱を取り出したのだ。それを見たキラリンが、ひっと小さな悲鳴を上げた。

「跪《ひざまず》け」

キラリンは床に膝を突いて、俺に平伏した。俺はキラリンの長い髪を脚で踏んだ。キラリンの震えが俺の脚にまで伝わった。そうだ、そうして降伏しろ。

「ごめん、ほんとにごめん。お金なら出すよ」

「金は徴集。お前はここに残れ。命令だ」

俺は不寝番で捕虜が逃げ出さないように見張っている。捕虜はさっきまでめそめそ泣いていやがったが、今は眠っている。俺はソファに陣取り、没収した捕虜の所持品を調べることにした。一万八千六百円入りの財布。生徒手帳。膨《ふく》らんだ財布の中には、どっかの店のポイントカード、図書館のカード、定期券なんかが入っている。俺は生徒手帳に貼ってある写真を眺めた。制服を着てるとますます『妹』に見える。長い髪に、やや垂れ目の困った顔。唇を尖らせて清純な振りをしている。いかにも、うちのクラスの変態が喜びそうな女だ。他には、ハンカチ、ティッシュペーパー、口紅だの、制汗スプレーだの、脂取り紙がぎっしり詰まった小さな化粧ポーチ、携帯。バッグの底に映画の半券が落ちていた。たった二日前、捕虜と映画の話をして和《なご》んだことが、遥《はる》か三十年も昔のことみてえだ。

あの時の俺は、ひどく孤独で、家族で行った公園のプールに向かったりして、時間を戻す方法はないかとおろおろしてた。だから、捕虜の甘え声が耳に快かったんだ。だが、今の俺は捕虜の声を聞くと、無闇《むやみ》と腹が立つ。捕虜だけじゃない。オヤジも親戚もあの家も、ありとあらゆることが邪魔で、あらゆるものから遠ざかってしまいたい。

俺は俺の本質に近付きつつある。俺の内部から、そういう啓示があった。本質って、どういうこった。わからねえ。俺はますます混沌《こんとん》として、意味のない存在になっていくのに、それがどうして俺の本質なのか。そんな程度の奴だってことか。俺は無性に悲しくなって、ぼろぼろ涙をこぼした。涙を捕虜のハンカチで拭うと、化粧品と洗剤とが混じり合った匂いがした。突如、俺は事実に押し潰《つぶ》されそうになった。母親を殺したという事実。戦え。戦え。俺は必死に涙を堪えた。捕虜の携帯が鳴った。発信元はトシだったが、俺は救われた思いで出た。

「もしもし、遅くなってごめん。留守電、気付かなくてさ」

「俺だよ」

「あ、そう。キラリンは」トシは驚きもしなかった。「キラリンはいる」

「寝てる」

「あなたは元気なの。大丈夫？」俺は絶句した。「もう一時なのに、何で寝ないの。眠れないの」

優しい女は嫌いだ。危険だからだ。俺の中で警報が鳴り続けている。危険だ。危険だ。が、なぜ鳴っているのかわからなかった。

「ねえ、どうして答えないの」

「聞いてる」

「キラリンからユウザンに連絡があったんだって。あなたと一緒にいるって言ったっていうから、あたしすごく驚いたの。キラリンがあなたに興味を持ってるなんて思っていなかったからさ」

『あんたに興味がなくなった』。俺は捕虜のさっきの言葉を思い出した。

「あなたのお父さんね、今日うちに来たよ」

「何でだよ」

「迷惑かけたって挨拶。近所を回ってるみたい。お父さんがこんなこと言ってた。どこでどうやって彷徨《さまよ》っているのかと息子のことを考えると、夜も眠れないってさ。妻を失ったことも悲しいが、息子の魂を救いたいからそればっかり思ってる。夜中に一人で誰もいない家にいると、どうしてこんなことになったのかと自分を責めてしまい、死にたくなることもある。だから、そういう時は一生懸命、直線を見つめて自己を鍛え直すって」

「直線？」俺は大声を上げた。「何だ、それ」

「まっすぐな物って意味。障子の桟とか、柱とか、ともかくそういうまっすぐな物を見ると、揺るぎない世界がそこにあるって安心するって。客観的になれるんだって。そうやって自己を客観的に保って、息子の帰りを待つってさ」

くっだらねえ。俺はオヤジのあまりのくだらなさに絶句した。この期《ご》に及んで、揺るぎない世界だって。とっくに緩《ゆる》んで流れ出してるじゃねえか。馬鹿野郎。客観だって、アホ。だから、お前の目には、まったいらな世界しか見えねえんだよ。俺は混沌の中に突き進む決心をした。より訳のわからない、混迷した前線に向かう。混沌。オヤジが直線を見て自分を鍛え直すのなら、俺は曲線を見て、自分をぶちキレさせるのさ。俺は部屋の中に曲線はないかと目を泳がせた。壁、床、天井、ドア、テレビ。どれを見ても直線ばかりだった。ふと、ベッドの上に横たわる捕虜の体が見えた。

「ねえ、ミミズ。聞こえてる」

俺は携帯の電源を切った。

第六章　テラウチ

私は誰かにこう言いたい。「ねえ、取り返しの付かないことってあるんだよ」って。相手は、特にいない。雨の朝、混み合った京王《けいおう》線のホームで遅れた快速電車を待っている時とか、新米店員がいるコンビニのレジで並んでいる場面なんかで、思わず呟《つぶや》いてしまうのだから。苛立《いらだ》ちを覚えた時に口を衝《つ》いて出るってことは、かなり無意識に私自身を侵食している言葉なんだろう。

　でも、この言葉は、ユウザンやキラリンにはうっかり言えない気がする。あの子たちに言ったら、「そうかもしんない」と一瞬、宙に浮いた眼差《まなざ》しをするだろうけれども、他の話題に移れば、すぐ忘れてしまうに違いない。言葉を発した私がきまり悪くなるくらいに早く。私はそれが嫌だから言わないんだと思う。灯台の光が一周して、当たった瞬間に周囲が照らし出される感じだ。光が過ぎ去れば、あらゆる物が闇《やみ》に溶け込んで見えなくなってしまうみたいに、あの子たちにとってはどうでもいい言葉なのだ。本当に取り返しの付かないことを経験してみないとわからないし、取り返しの付かないことって、そんじょそこらに転がっているありきたりなことだと信じている人には、勝手に取り違えられてしまう危険性を孕《はら》む、安っぽい言葉なのかもしれない。

トシは少し違う。あの子はのんびりしてるけど感受性のレーダーは発達している。きっと私の顔を見つめて、私の意図を探ろうとするだろう。探ったところで、私からは何も得られない。やがて、トシは私に失望して去って行く。

私の言う「取り返しの付かないこと」って、ミミズの母親殺しとは違う。そんな単純なことじゃない。ユウザンが、母親の死を忌避して後ろめたさを感じて悩んでいるような種類のものでもない。むしろ逆だ。どう言ったらいいんだろう。死んでしまったら生き返るのは不可能だから、確かに取り返しが付かないことではあるけれども、私の考えでは、取り返しが付くことでもあるのだ。だって、死は誰もがいずれ経験するんだから、むしろわかりやすい結末を選んだっていう意味で敗北に近い。相手を殺すのは、自分の憤怒《ふんぬ》や屈辱や欲望に落とし前を付けただけで、それで問題が終了した訳じゃないのだから、取り返しが付かないことじゃない。

本物の「取り返しの付かないこと」というのは、永久に終わらなくてずっと心の中に滞《とどこお》って、そのうち心が食べ尽くされてしまう怖ろしいことだ。「取り返しの付かないこと」を抱えた人間は、いつか破滅する。

私の考えは、フクザツ過ぎるだろうか。要するに、私は人より難しく考えてしまう人間なんだと思う。だから、家でも学校でもくだらないことばかり言ってふざけている。その理由は簡単だ。どうせ本物の自分を晒《さら》け出したところで、誰にも伝わらないってわかっているから。トシが僅《わず》かに引っ掛かってくれたくらいで、今まで会ったどんな子供も大人も、私を理解できないと思っているから。

それは圧倒的な能力の差、経験の差、感情の差、すべての差なのだ。私は並外れて感情的だし、頭がいい、と思う。断っておくが、私の「頭がいい」というのは、勉強ができることとは違う。抽象的思考ができることだ。高校生だからできっこないと考える大人もいるかもしれないが、初手から間違っている。

私はあらゆる人間関係から浮いてる。だから、私は自分を抑えまくる。抑えることに全神経とエネルギーを注ぐから、勉強なんか最初っから舐《な》めてマジにやらない。受験勉強は要領の勝負でしかないと割り切っている。

高三になった時、心理テストがあった。マークシート方式で、「わたしは人に話を合わせてしまう」とか何とか、二百項目くらいのくだらない設問に答えるものだった。私はどこまで相手を誤魔化《ごまか》せるかと挑戦する気になって、わざと滅茶苦茶に答えた。トシもユウザンもキラリンも、他の気の利いた連中も皆やったけど、後で進学指導室と呼ばれる小さなブースに来るよう連絡を受けたのは、私一人だった。それもこっそり、担任から自宅に電話がかかってきたのだった。

半分好奇心、半分うざいと思いながら行ってみたら、案の定、紺のスーツを着たノーメイクの中年女が待っていた。女は名前を名乗ったが、スズキとかサトウみたいなありきたりな名前で、すぐに忘れてしまった。女はこう言った。

「寺内和子さんですね。何回かに分けてちょっとお話ししたいの」

「何をですか」

「あなたの考えていることとか、もしあればだけど、悩みとか、いろいろ」

お前に話してどうする。何で話す必要がある。湧《わ》き上がる怒りの感情を抑えて、私は例によってへらへら笑っていた。感情を隠して馬鹿を言うことが、私の武装なのだ。トシがホリニンナという名前を使うように。キラリンが明るく装うように。ユウザンだけは、痛々しく生身を見せているけれど。

「えー、何もありませんよ。悩みって受験のことくらいだしい」

女が白い紙に「受験」と書くのを見て、私は内心嘲笑《あざわら》っていた。その話し合いは全部で三回あった。私が「実は、友達から仲間外れになるのが怖い」という作り話をしたら、納得したのか、呼び出しは来なくなった。

中年女は口を挟まずに、常に微笑《ほほえ》みを浮かべて私の作り話を聞いているだけだったが、会う度に、私は大人が恐ろしくなった。病んだ心に手当てができると思い込んでいる、科学へのお目出度《めでた》い信頼感を抱いている楽観に。そして、病んだ心を持つ子供に手当てをしなければならないと信じている大人の強迫観念に。私のことは放っておいてほしいと言ってるのに、どうして通じないのだろう。が、それもいつものことなのだ。

結局、大人と大人が作る社会というものに私が心から脱帽したのは、嘘吐《うそつ》きはばれるってことだけだった。このテストで嘘を吐きまくれば、その作為性のレベルがわかるのだ、と女は自慢げに言った。私は名誉ある最高得点だったという訳だ。それも、他校、他地区を押さえての最高得点者。つまりは、余程隠したいことを抱えている人間だと見破られたのだ。それは確かにばれた。しかし、何を隠したいのかまでは突き止めることはできなかったと思う。学校や中年女のカウンセラーとやらに、訳知り顔の手当てはされたくない。だって、この五年間ずっと考えていたのは私。そして、自分を理解しているのは、他ならぬ私しかいないのだから。

私はカウンセラーにしたように、誰にでも、馬鹿を言ってのらりくらりとやり過ごす。私の、他人をかわす術《すべ》というのは、さすがにトシに見抜かれていて、その都度、不快に思うらしい。いつだったか、二人で珍しく将来の話をしていたら、突然トシがキレたことがあった。

「おめーの目は笑ってないんだよ」

私は目尻を下げて、笑う真似《まね》をした。白けるギャグはいくらでも使いようがある。皆がうんざりするから。

「笑ってるよー」

「嘘だよ。騙《だま》すなよ、あたしを。つまんないことばっか言ってさ」

「あだー。オレはあれだ。とにもかくにも、いい女子大入って、東大とか一橋《ひとつばし》の男を捕まえて結婚して、専業主婦しちゃうんだ」

「何だ、そのゼツボーは」

トシは、いとも易々《やすやす》と私の気持ちを言い当てた。私は「ろーまーんーすー」とトシの耳《みみ》許《もと》で囁《ささや》いてみせたりしたけど、トシは私を眺め回した挙げ句、きっぱり言った。

「テラウチは謎」

「どしてー」

「やめろっつうの。その言葉遣い。おめーが何か隠しているのはわかってるんだよ。みんなも知ってるんだよ」

「隠してないよ。あだーだな、ほんとに」

「もういいよ」と、トシは傷付いた顔をした。

トシは、「大学に行っても何になりたいのかわからないから虚《むな》しいよ」といった、高校生にはありがちな悩みを私に話したばかりだった。それも「滅多に人には言えないこと」として。でも、私がその話に乗れなくて、なかなか本心を摑《つか》ませないから怒ったのだ。トシは一転して、心配そうな顔をした。

「ねえ、あんた過去に何か嫌なことあったの」

「ないよ、何にも」

十七のガキに摑まれて堪《たま》るか、と私は思う。勿論《もちろん》、私だってまだ十八歳になったばかりだ。しかし、本当は幾つなのかわからない。子供なのか、大人なのか、老人なのか。トシは頭がいいし、優しい子だけど、あんな人の好《よ》い両親に愛されて育ったんだから、私みたいにフクザツになれる訳がない。なれるもんならなってみろって思う。そんな風に考えると、私がどうしてトシやユウザンやキラリンなんかと、女子高生っぽく一緒に弁当を食べたり、カラオケに行ったりしているのだろうと自分が可笑《おか》しくなる。それすらも、高校生活を恙《つつが》なく送っていると思わせたい私の擬態《ぎたい》なんだろう。

本当の私は、友人たちをかなりクールに眺めている嫌な奴だ。トシが怒るのは無理もない。私は人が悪くて、私に対して怒らなければ本物じゃないと相手を品定めしている癖に、その人が怒ったら怒ったで、巧妙に自分を隠してしまうのだから。

ユウザンはフクザツっぽくしてるけど、本当はシンプルだ。あの子は目下、自分自身をどうやって受け容れるかってことだけに悩んで生きているのだろう。レズの自分を受容したら、落ち着いてその道を生きていけると思う。キラリンはいつの日か、男によって変えられる気がする。二人ともそれなりに健全だ。とてもいいことだ。これは厭味《いやみ》でも何でもない。本心だ。

『お前、母親殺しの少年になったつもりで小説を書け』

ミミズが電話で私に言った言葉だ。当然ながら、私はミミズの依頼を受ける気は毛頭ない。ミミズがどんな人間かわからないし、本当に母親を殺したんだとしたら、ミミズの精神は幼児に戻ったことになる。私の論で言えば、取り返しの付かないことを避けて、取り返しを付けてしまったんだから、私とは正反対の生き方を選んだ人間なのだ。そんな奴のために、貴重な時間を割《さ》いて創作してやる必要はない。ミミズの甘え振りは、他の三人の責任だ。きっと断罪される日が来るだろう。

私はユウザンやキラリンたちがなぜあんなに興奮しているのか測りかねている。ミミズなんか早く捕まって、あの中年女のカウンセラーだの、精神分析医だのに、毎日同じ質問をされればいいのだ。他人を救うことができると信じているお目出度い近代科学に身を委ね、自分の思考をがんじがらめにされるといい。いかに自分のやったことが歪《ゆが》められ、矮《わい》小化《しょうか》されるかが、はっきりわかるだろう。

今回の事件で面白かったのは、私たち四人がミミズをどう扱うかで、四人の性格が明確になったってことだろうか。トシは心優しいから、殺されたミミズの母親に同情し、かつミミズの行く末を案じた。ユウザンは母親殺しのミミズに自分を投影して、逃走を助けてしまった。ミミズと同行しているキラリンはミミズに幻想を抱いて、自分も変われると思ったに違いない。キラリンが渋谷で遊びまくっていることや、失恋したことなんて周知の事実なのに、本人だけが隠しおおせていると思っている。

私が思うに、ユウザンとキラリンはミミズの犯罪を利用し、ミミズを貶《おとし》めている。トシは予想通り、一般人的傍観者の態度を取っている。そして、私はどうするかと言えば、正面からミミズを批判してやるつもりだ。母親を殺したことではなく、何度も言うように、「取り返しの付くこと」をしたあいつの単純さを。

突然、部屋のドアがノックなしに開いた。いつものことなので驚きもしない。弟のユキナリだ。ユキナリはまだ声変わりしていない中性的な掠《かす》れ声で私に言った。

「インターネット見る？　あいつの写真出てるよ」

「あいつって？」

「K高の母親殺し」

ベッドに寝転がって考えていた私は起き上がり、隣のユキナリの部屋に行った。ユキナリはこの春、私立進学校に入ったばかりの中学一年だ。塾に丸五年も通わされているうちに、性格が変わったように思える。私以上に要領が良く、狡賢《ずるがしこ》くなった。ユキナリは「取り返しの付かないこと」なんかしない。

大きな机の上にでんと置かれた、入学祝いに買って貰《もら》ったユキナリのパソコンの液晶画面が、天井の蛍光灯を青白く反射している。学生服姿のミミズが画面いっぱいに映っていた。集合写真から取り込んだらしく粒子は粗い。だが、特徴はよくわかる。学生服のカラーからにゅっと出た小さな頭に、細い目。顎《あご》を上げているせいで、首が長く、傲慢《ごうまん》な表情をしているように見える。眉と眉が離れて、目尻がきゅんと上がっていた。明治維新の写真集でよく見る、昔の日本人ぽい顔だった。

「ミミズって、こんなクラシックな顔してるんだ」

「高杉晋作みたいだな」感想を述べた後、机の前に座ったユキナリは不審な顔で私を見上げた。「こいつミミズって言うの？　どうして知ってるの」

「トシちゃんに聞いた」

「ぴったりだな。ねえ、こいつ、K高だって。もうK高の親殺しってだけで、十分ヒーローだよな。偉そうな顔しやがってさ。高三にもなってママ殺しかよ」

ユキナリは慣れた手付きでマウスを扱い、画面をスクロールしながら皮肉っぽい口調で言った。ユキナリの入った学校は、Kよりはワンランク下の私立だった。

「K高だとヒーローになるの？」

ユキナリは吐き捨てるように言った。

「エリートの堕落って奴ですか」

その掲示板に「母親殺しの少年Aを応援するスレッド」というのが立っていた。「国道一八号をチャリで疾走する姿を見たぞ」、「高知のコンビニでそれらしい奴がエロ雑誌立ち読みしてた」、「銭湯で背中洗ってた」、「ディズニーランドでグーフィーの着ぐるみ着てた」とか、いい加減な目撃情報が満載され、加えて「どこまでも逃げろよ。見守ってるぞ」的な無責任な応援が書き込まれている。こいつらの発想って、実はユウザンと同じだと私は気付いていた。安易な同情、勝手な思い入れ、って奴だ。

それにしても、どうして皆がこんな奴に肩入れするのかわからなかった。

「チャリで逃げてるって噂《うわさ》あるから応援してるのかな」

「そうだろう。いい歳して子供っぽいじゃん、こいつ」

ユキナリは手早くマウスを下に動かして、画面をスクロールさせた。最後の方に、「質問。父親はどうして殴り殺さなかったの。ケケケ」、すぐ下に「少年A」を偽った答えの書き込みがあった。「金属バット振り回して両親殺した奴がいるもん。同じことしちゃ、Kの誇りが許さないぜ」とある。ユキナリが上の「質問。父親はどうして殴り殺さなかったの。ケケケ」という書き込みを指さした。

「これ、俺が書いたんだよ」

「あんた、父親殺したいの」

「論理飛躍させんなよ」ユキナリはむっとした。

玄関ドアが開く音がして、父親が帰って来た気配がした。ただいまも言わないが、咳払《せきばら》いですぐわかる。リビングのエアコンにスイッチを入れた音。この後、風呂に入ったり、冷蔵庫の扉を開け閉めする音がうるさく続くだろう。私の父親は都市銀行に勤めていて、朝早く出て、夜遅く帰る。今は誰も父親に構わない。

「ナイスタイミング。お父さん、帰って来たよ」

「何だ、帰って来やがって。車に轢《ひ》かれりゃいいのに。タクシーでもぶつからねえかな」

ユキナリの口から、涎《よだれ》のように罵《のの》りの独り言が洩《も》れる。こうやって呪詛《じゅそ》を垂れ流し、毎晩インターネットで遊んでいるのだろう。

「警察もこの掲示板を見てるのかな」

「当然だよ」ユキナリは冷ややかに言って、ミミズの写真をプリントアウトしている。

「お姉ちゃんにこれやるよ。飾っとけよ」

「何で」

「いい記念じゃんか。トシちゃんにあげたら」

ユキナリは私たち四人がミミズと連絡を取り合っていることを全く知らない。でも、私はその偶然にどきっとした。確かに、私たちがこの事件に加担した記念。そして、四人の本質が暴かれた記念だ。今にミミズが捕まったら、私たち四人の顔もどこかの掲示板に出て、「協力した女子高生四人組ってどうよ」とか何とか書かれるのだろう。一番人気はキラリンだろう。私はプリンターから排出されたミミズの写真を貰って、自室に戻った。ちょうど携帯が鳴っていた。

「俺だけど。あれ、どうした」

ミミズからだった。今、話していい？　とか、気遣いなど微塵《みじん》もない無礼者だ。私は感情を抑えるモードに入った。電話があったのが昨夜。まだ捕まってないんだ、と私はミミズの写真の、か細い首の辺りを眺めながら考えていた。

「あれって、何だっけ」

「犯行声明だよ」

ミミズは屋外にいるのか、時折、車の走る音が聞こえてきた。

「あんた、小説って言わなかった？」

「何でもいいんだ。詩でもいいし、カッコイイ台詞《せりふ》でもいい。頼むよ」

どうせこいつは人にやらせておいて、気に入らないと直したり、捨てたりするんだろう。私は冷たく言った。

「マンガから取れば」

「オリジナリティが欲しい。俺、高三だぜ。いくら何でも十四歳に負けたくねえよ」

「だったらやめた方がいいよ。十分、負けてるもん」

「嫌な女だな」ミミズの声は昨夜より余裕があった。「お前も俺の母親みたくなるんだろうな」

私は子供など作らないよ。あんたみたいな馬鹿な男を産みたくないもの。そう思ったが、私は傷付いた振りをした。

「そんな言い方しないでよ」

「ごめん」

「わかったならいいよ。これから作るよ」と、私は素直な声で嘘を吐いた。

「早くしてくれよ。俺はそれが出来ないとオヤジを殺せないんだ」

私はそのことに触れずに、どこにいるのか聞いた。

「軽井沢」ミミズは警戒心もなく答える。「涼しくていいよ。空いた別荘に入り込んで遊んでる。休暇中だな。明日は前線」

「キラリンと一緒なの？」

「もしもし、テラウチ？　あたし、キラリン」

ミミズの返事の代わりに、いきなりキラリンが出て来たが、すぐに中断した。「あっち行ってよ」というキラリンの声に重なって、「聞いてる訳じゃねえよ」というミミズの文句が聞こえた。

「あーだー。仲良さそうだねー、殺人犯と」

「やめてよ、何でもないんだから。あたし、脅されて一緒にいるんだもの」

その割には、キラリンの声は弾んで聞こえる。

「軽井沢にいるんだって」

「そうなの。今、ラーメン食べに行ったところなんだけど、浅間山《あさまやま》って夜見るとすっげーキモイ」キラリンはのんびり言った。「あたしは明日東京に帰るからね、心配しないで。ていうか、テラウチ、聞きたいんだけどさ。テレビ見ても新聞見ても、ミミズのこと何も出てないのよね。ミミズの事件、どういう報道になってるか知らない？」

「報道は何もないみたいだけど、ネットにミミズの顔が出てるよ。ネットじゃ、結構、大騒ぎ」

私はプリントアウトされたミミズの写真を足の指でいじった。そうか、キラリンはこの高杉晋作顔の男とやったのか、という妙な感懐。

「えー、ほんと。どうしよう、顔ばれじゃん」

キラリンは大袈裟《おおげさ》な溜息《ためいき》を吐いた。ミミズサイドの意見になっていることに私は気付く。

またもミミズに代わる。

「俺の顔出てるってほんとかよ。そういうことすんのって学校の奴らに決まってる。ええ汚えことするなあ。まあ、俺が同じ立場でも写真くらい出すだろうしさ、覚悟出来てたけどな、こんな早いとは思わなかったぜ。でも、俺、女連れだからばれねえよ」

このひと言で、私はキラリンは容易に帰ることができなくなったと思った。狡いミミズが便利なキラリンを解放するはずがない。キラリンは誰にでも好感を持たれる可愛い女の子なのだ。だとしたら、私はネットに顔写真が出ていることを告げない方が良かったのだろうか。でも、ミミズと同行することはキラリンが選んだことだ。私と全く違うキラリン。

「あんた、ほんとに犯行声明欲しいの」

「欲しい。何かいいのない」

「こういうのどう。『父親はどうして殴り殺さなかったの。ケケケ』っていうの」

ネットに書いた弟の言葉を思い出して言うと、ミミズは即座に反応した。

「それ、俺の主観じゃねえじゃん。他人の感想書いてどうすんだよ。『死は鴻毛《こうもう》よりも軽《かろ》しと覚悟せよ』の方がまだカッコイイ」

「軍人勅諭《ちょくゆ》でしょう。あんたにぴったりよ」

私の気のない返答に、「そうだな」とミミズはしばらく考えていた。そして、自分を奮い立たせるように言った。

「スローガンができたな。じゃ、俺は今にもオヤジを殺せるってことだよな」

スローガンって中国じゃないだろうが、と突っ込みを入れたくなる。それに、そんな手垢《てあか》の付いた言葉でいいのかよ。だから、あんたには「取り返しの付かないこと」の中身がわからないんだ。私は、ミミズが私には異物にも毒物にもならない小さな存在なのかもしれないと思った。

「私に確かめないでよ。私が知ったことじゃないもん。ねえ、あなたたち、軽井沢のどこにいるの」

「国道一八号沿いのラーメン屋出たとこ。これからコンビニ行って帰ろうとか思ってさ」

「ふーん、気を付けてね」

私は心にもないことを言って電話を切った。すぐにトシに電話を入れて報告する。昨夜のことはトシに話してあった。経過を聞きたいだろうと思ったからだ。

「じゃあ、キラリンはミミズとずっと一緒にいるんだ。最悪の事態じゃない」

トシは声を潜めた。

「まあ最悪って言えば最悪だけど、あの子が選んだことだしさ」

「テラウチさんて、ほんとクールなんだから」

トシがいつもの口調で言った。

「仕方ないよ。キラリンだって十七のオトナなんだから」

「にしてもさ、どうするよ」

「あいつが捕まったら、携帯の通話記録調べられて私たちにも被害が及ぶよ。どうしてこんなことになった訳」

「だよねえ」トシが同意した。「まさか、巻き込まれるなんて思いもしなかったねえ。尊属殺人幇助《ほうじょ》アンド逃走幇助か。それとも、逃走幇助のみ？　でも、これってユウザンが肩入れしたからだよ」

「言っておくけど、最初にトシちゃんが嘘吐いたからじゃないの」

私の指摘にトシは沈黙した。やがて苦しそうに息を吐いた。

「そうねえ。あたしは何となくあいつに同情してたと思う。助けたいとは思わなかったけど、捕まってほしいとも思わなかったな。何となく成り行き任せっていうか、あたしの責任はかなりあるよね」

「私が考えるに、あいつは私たちを巻き込もうと思ってるんじゃないかな」私はかねてからあった疑問を投げかけた。「トシちゃんの携帯で皆に電話かけまくったりすることがそもそも変だよ」

「でもさ、何でそういうことをしたい訳」

「わからない」

そうは言ったものの、ミミズの心境は何となくわからなくもなかった。孤独、だ。この厄介なものは、時として馬鹿げた行いをさせる。トシが言った。

「でも、あたしはユウザンのやったことだけはちょっと付いて行けないよ。何でそこまで飛躍する訳。そう言えば、ユウザン音沙汰《おとさた》ないね。電話かかって来なかった？」

私は連絡のない理由を推測していた。男っぽいユウザンはおそらくミミズに嫌われたのだ。だから、ミミズの逃走を助けようという気をなくした。

トシとの電話の直後、マンションの駐車場に車が入って来る音が微《かす》かに聞こえた。冷房のために閉め切った窓を開け、私は七階から下を覗《のぞ》き込んだ。端っこの位置にバックで駐車しようとする四輪駆動車が見えただけだった。違う。母の車じゃない。母はまた遅い。私は再びベッドに寝転がってミミズの写真を眺めたが、面倒臭くなってベッドの下に捨てた。ミミズの写真が床に溜まった埃《ほこり》をふわっと動かすのが見えた。私は自堕落なだらしなさの中にいる。これが私のリアルワールドだ。

私は小学校から電車通学をしていた。両親が私を都内の私立小学校に入れたからだ。自宅のある府中《ふちゅう》市P駅から渋谷区内のS駅まで三十五分間。電車は都心に向かう上りだから、いつも超満員だった。

毎日、満員電車に乗って小さな女子小学生が通学するのは、すごく過酷なことだ。私の家があるP駅は郊外なので、乗った時点ではまだ空いている。座れることは絶対と言っていいほどなかったが、立っている人はまばらでゆったりしている。母親はその様子を見て、私の電車通学に自信を持ったのだと言った。最初、一緒に行くから大丈夫と言っていた父親は、地方に飛ばされて単身赴任になってしまったので、私は一人きりだった。父が戻って来たのは、小四の時だったけど、都心の支店勤務ではなくなっていた。

私はドアの横の小さな空間に、体を押し込めて立っていた。電車が駅に到着する度に人が増え、私の体は押し潰《つぶ》されていく。一度など、誰かに背中を押されて前につんのめり、女の人のバッグの金具で頰《ほお》を切ったことがあった。座席の端に腰掛けているサラリーマンが、私のランドセルが肩に当たるからと突き飛ばしたのだった。私はそれ以来、ドア横に立つのをやめた。

学校のあるS駅で降りようとしても人の間に挟まったランドセルが抜けなくて、次の駅まで運ばれて行ったことなど数限りないし、貧血を起こしてどこかのおじさんたちに寄りかかったまま、新宿駅まで行ってしまったことだってあった。それでも、大人たちは、誰も私を助けてくれなかった。

「どうして、小学生がこんな満員電車に乗ってるのかな」

ランドセルが腰の辺りに当たって、体を捩《ね》じ曲げられた中年サラリーマンが苦しそうに隣の男にぼやいたことがある。私はその時、顔を上げて周囲の反応を窺《うかが》った。中年の仲間らしき隣のサラリーマンの顔に浮かぶ同調の笑い。

「小学校なんだから、近くに行かせてくれればいいのに。可哀相だね」

「お嬢ちゃん、毎朝大変でしょう。くたびれない」と、中年男の嫌がらせ。「あんたが私立に行きたいって言ったの？　言う訳ないよね」

「お母さんにちゃんと言ってる？　毎日大変なんだよ、みんなに迷惑かけているんだよって」と、隣。

責められているのは、私でなく保護者だったが、実は満員電車という現場では、ランドセルを背負って乗り込んで来る圧倒的弱者の私が責めの標的になるのだった。過酷な電車通学を選んだ両親への天誅《てんちゅう》。それが証拠に、謂《い》われのない悪意を受けることがしばしばあったし、私は必要以上に邪慳《じゃけん》に扱われた。これが現実なのだ。

風邪を引いて具合が悪かった朝のことだ。土砂降りで窓が閉め切られ、乗客の吐く二酸化炭素でガラスが白く曇っていた。私は気分が悪くて我慢できず、座っている人の膝の上に朝食を吐いたことがあった。綺麗にお化粧したOLみたいな人だったけど、その人はブルーのスカートを、消化途中のトーストや臭いヨーグルトで汚されて泣きそうな顔をした。

「嫌だ、もう、いい加減にしてよ。私、会社行くのにどうしたらいいのかしら」

どうしようもない。OLは泣きべそを掻《か》いて必死にティッシュでスカートを拭《ぬぐ》った。他の乗客は押し黙って私の吐瀉物《としゃぶつ》の臭《にお》いに堪《た》え、私が顔を顰《しか》める度に、私がまた吐いたりしないかと必死にのけぞって逃げようとした。誰も私を労《いた》わろうとしなかった。それ以来、私は座席の前も避けることにした。

小学校高学年になると体力が付いて、降りられなくなったり、吐いたりすることはなくなっていたが、代わりにもっと嫌な目に遭った。私は痴漢に取り囲まれるようになったのだ。それは、常に同じ男たちだった。顔を知っている私は、乗る車両を変えたり、通学時間をずらしたり、いろいろな策を講じたのだが、痴漢たちと乗り合わせなくても、いくらでも代わりが現れることに驚いた。

彼らは数人で私を取り囲み、逃げられないようにしたところでそれぞれ手を忍ばせてくる。剝《む》き出しの太腿《ふともも》をさっと撫《な》でる奴。お尻を触る奴。膨らみ始めた胸を掌《てのひら》で押す奴。声を上げると、彼らはさっと横を向く。知らん顔したサラリーマンや学生に早変わりだ。が、しばらく経つとまた同じことが繰り返される。私は痴漢のカモだった。皆、私が弱く、幼いのを知って狙《ねら》う。私はそのことが嫌で嫌で堪らなかった。大人の男が卑劣で、しかも小学生の私の敵だ、と知らしめられたのが辛《つら》かったのだ。学校に行きたくない、電車に乗りたくない、と親にごねたこともある。でも、本当の理由は言わなかった。それほどまでの苦痛を私に強《し》いてきたのだという事実を、私の両親が知ったら可哀相だと思ったのだろう。私はこうして通学するうちに、いつの間にか親より大人びてしまったのだった。

ある日、私はいつものように痴漢たちが私に近付いて来たのを感じた時、へらへら笑ってみた。すると、痴漢たちがはっと怯《おび》えた顔をした。一人一人に笑いかけると、薄気味悪そうに私から離れた。私はとうとう痴漢を撃退する方法を発見したのだった。自分が馬鹿な振りをするという、私の中の何かと引き換えることで。それが私の言う「取り返しの付かないこと」なのだ。

実は、「取り返しの付かないこと」は、他にもある。発端は、私の母親が浮気をしていることだった。浮気というより、恋愛の方が正確かもしれない。「そんなの沢山いるよ、珍しくないんじゃない」とキラリンだったら他の人の例を挙げるに違いない。「お母さんだって恋愛のひとつくらいするよ」と、トシは慰めてくれそうだ。潔癖《けっぺき》なユウザンだけは何も言わずに俯《うつむ》き、言葉を探そうともしないだろう。

もし、ミミズが自分の母親が浮気をしていると知ったならば、母親を憎みこそすれ、殺さなかったのではないだろうか。それが「取り返しの付かないこと」に至る道だったのに、と私は思うのだ。

私は浮気する母を受け容れた。かといって、一般的な事象だからどうでもいいじゃん、というキラリン的理由でも、誰にでも恋愛する自由があるから仕方ない、というトシ的理由からでもない。フェアな理由は一個もない。許せないが許したのは、私が誰よりも母を深く愛しているからだ。だからすべてを受け容れた。そう、私は母に屈服したのだ。それは、私が電車通学という事実を受け容れたことに似ているかもしれない。まだ運命に抗《あらが》うほどの力がない時に、一方的にやってくる運命に従わざるを得ないこと。それは取り返しが付かないことだ。

母は弟が小学校に入った年に、子育てのために長く中断していた仕事を再開した。私が小学校六年の時だった。母の仕事は、フリー・プロデューサーというものだ。当時の私は、どんな仕事をするのか具体的にわからなかったが、母から貰った名刺にはそう書いてあった。映画やテレビの仕事ではなく、ビジネス面で企画を立てたり、人を集めてひとつの仕事をするのだ、と母は説明した。その話を聞いて、私は母には今まで思っていた人間と実は違う顔があったのだと衝撃を受けたことを覚えている。母は三十八歳にしては若く美しかった。そして、強引でパワーに溢《あふ》れ、父親ともがんがん口論していたから、私の家族は皆、母親に支配されていたと言っても過言ではない。その頃の私は、まだフクザツではなかったのだろう。

母が長く仕事から遠ざかっていた理由は、父が、弟が小学校に入るまでは母に働くことを許さなかったせいだった。弟は近所の公立小学校に行ったのだが、その入学式が終わった日、父母が口論していたのを覚えている。弟を学童クラブに入れるという母に、まだ小さいのに可哀相だとか何とか、父が反論したのだ。隣の部屋で聞いていた私は、それなら満員電車で通わされている私はもっと可哀相ではないか、と思ったのだが、父親の念頭には、私には金をかけた私立でいい教育を受けさせている、という自信と自負があって、その自信と自負はたとえ私が現実の姿を言ったところで揺るぎないのだった。

断っておくが、この部分は私の推論だ。実際に、両親が私の通学や弟の放課後の過ごし方をどう考えていたのかはわからない。ただ、銀行員の父は、保育園とか学童クラブというものに、抜き難い偏見を抱いている人物で、働く母親の子供は碌《ろく》な者にならない、というのが心の隅にあったと思う。私が小さい頃から、母はそんな父と戦い、そして敗れていた。

結局、弟は学童クラブの代わりに、算盤《そろばん》塾だのスイミングクラブなどの習い事に通って放課後の時間を潰すことになった。小学校二年からは、より効率を重んじて塾に寄って勉強するという生活を送るようになった。可哀相だ、という人もいるだろう。大人の生活の犠牲になっている、と感じる人もいるだろう。しかし、これが我が家の新しい生活だった。

私と弟が強要された子供時代というのは、誰のせいでもない、と私は思う。いい教育を受けさせたいと願う両親の思いは理解できるし、働きたい母の気持ちも良くわかる。子供には母親を、と主張する父の意見もある意味で納得できる。だから、誰もが何かを得るために主張し、何かを得ていくしかないのだった。そのすべての欲望の妥協みたいな生活が、弟の小学校入学で始まったのだ。

再び働きに出た母に変化が訪れたのは、いつ頃だったか。私が中学二年を終える頃の早春だっただろうか。突然、母は週末の夜に帰らなくなった。私が問い詰めると、週末は忙しいので、事務所で徹夜仕事をしていると言う。では、事務所まで確かめに行く勇気が家族にあるかと言えば、誰もなかった。

母の言動や、眼差しが宙に漂っているのを感じるあの不安。家族を素通りして、どこか遠くに向かう意識を感じて、私たちは怖がった。なぜなら、母が私たち家族を支配していたからだ。いや、もしかすると、父より母の欲望に従って、生活が変えられたからかもしれない。それに母は、父よりも圧倒的に人間的魅力に溢れていた。

母が旅行に出る度に、もうこの家には戻って来ないのではないかと私はいつも怯えて、嫌な夢を見た。今でも覚えているのは、母が死んでしまった夢だ。死んだ母は、死んだはずなのに、なぜか私と話をしていて、「もう行かなきゃ」という言葉を絶えず繰り返すのだった。もう二度と会えない、と思うと悲しくなり、私は何度も母を引き留めては夢の中で泣いていた。私はまだ母親を必要としていたのだ。

母は旅行から必ず戻って来たが、いつもの母と違って、悲しみに満ちた暗い面持ちをしていた。私は母に何か起きていると直感した。しかし、聞く勇気は全くなかった。父と始終、口論しているのを見ていたので、父と離婚したいから悲しいのだろうと想像したのだが、頑固ではあるものの、そう欠点のない父とどうしてそんなに離婚したいのか、それもよくわからないのだ。大人たちは馬鹿なことをする癖に、謎めいていて、私を苦しめるばかりだった。ならば、調べるしかないだろう、と私は決心した。

高校二年の時、私は母が寝ている間にバッグの中から母の携帯を取り出して盗み見た。夥《おびただ》しい数のメールが、ある男との間を行き来していた。

「今日は電話できなくてごめん。忙しくて席を離れることができませんでした。今度会った時に話したいことが沢山ある。いつもあなたのことだけを考えている。お休み。愛してる」

「私もあなたのこと、そしてあなたが言ったことをずっと考えています。私たちは空中植物みたい。地下には根を張れないのですね。だとしたら、何が絡《から》み合っているのでしょうか。愛情だけを養分にして生きていけるのか、私にはわかりません。愛してます」

母は見知らぬ男と恋愛をしているのだった。ようやく私は、母が心の中でとっくに父と私と弟を捨てていたことを決定的に思い知らされた。母はやはり以前の母ではなくなっており、私は以前の幻のような母を今の母の中に発見しようと焦りもがいていただけなのだった。なぜなら、今の母は、男と二人だけの世界にしか生きていないのだから。事実を知った私は、男の名前と携帯の番号をメモして、電話をしてみた。

「寺内の娘ですが、母とどういう関係なのでしょうか」

いきなり言うと、男は絶句した。

「僕は寺内さんの部下です。一緒にお仕事させていただいていますが、寺内さんのお仕事振りはいつも尊敬しています。その関係しかありません」

男は同じ事務所で働く年下のスタッフだった。とてもいい人でね、ユキナリと同じ歳の女の子が一人いるのよ、と以前、母が話していたことを思い出した。私は急に虚しくなった。

「わかりました。もういいです」

私は母には何も聞かなかったが、男から母親に連絡が入ったのだろう。母が私の部屋に来て、母の方から切りだした。

「あなたは誤解してるわよ。あの人とは何でもないんだから、心配しないでよ」

母の目が逃げている。だが、わかった、と私は頷《うなず》いた。証拠はすべて揃《そろ》っている。メール。帰って来ない母親。いつも何かに酔った眼差し。時々、携帯にかかる秘密めいた電話。父との素っ気ないやり取り。

しかし、どうにもならない。私は今、母を失いたくないのだから、どんなに屈辱だと感じ、傷付いたとしても、母を捨てることができない限りひれ伏すしかないのだ。私は屈服を選んだ。

「いいよ、わかった」

「なら、いいけど」

母は不安な顔をしたが、これ以上話しようがないと悟ったのか、部屋を出て行った。

一年経った今、母は相変わらず帰りが遅い。嘘を吐く母と、気付かない顔をする私。私が幼稚なのか。いや、違う。私は、母と私の人間関係が根底から壊れていく音を聞きたくないのだ。母を信頼できないのに、信頼しなくては生きていけないのだから、信頼というもの自体を練り直さなくてはならない。

私は父を疎《うと》んじるようになった。抑えられた母への憎しみが父に向かって溢れ出たのだ。本当は憎いのに、ストレートに母にぶつけられないのは、私がまだ母を失いたくないからだろう。父は父で、おそらく同じ理由で母への憎しみを私たちに向ける。捻《ねじ》れた憎しみが行き交って、今にも私は窒息しそうだ。

私は母への不信を何とか覆《おお》い隠して、母を信じ、愛そうとしている。だが、それは破綻《はたん》するかもしれない。なぜなら、私は信じられない者を愛している自分を信じられなくなってきているのだから。親の子供への虐待というのは、きっとこういう構造なのだと思う。愛する親が信じられなくなっても受け容れる子供は、いつしか自分を信じられなくなる。見ろ、ミミズ。これが「取り返しの付かないこと」なのだ。母親を殺すことなんかじゃない。

私は時計を見た。午後十一時。スモッグがかかって、三日月の周囲が歪んで見える。母はまだ帰って来ない。私は机の抽斗《ひきだし》からテレホンカードを取り出した。携帯を手に入れてから滅多に使わないテレカは、一〇〇度数なのに全然減っていなかった。家の鍵と携帯とテレカをポケットに入れて、私は廊下に出て家の中の様子を窺った。弟は自室でネットをやり、父は誰もいないリビングで虚しいいびきを掻いている。

Tシャツにショートパンツという格好で、私はマンションの玄関ドアを開けた。蒸し暑く、風の吹かない夜だった。住宅街は寝静まったのか、誰も歩いていない。しかし、今頃、ミミズとキラリンは軽井沢で父親殺しの計画を練っているに違いない。私はとっくに心の中で母を殺したというのに、何度も。

ぺたぺたとアスファルトの路面に張り付くサンダルの音をさせて、私は公衆電話のボックスを探して歩いた。道路はまだ炎暑の名残で冷え切ってはいない。電話ボックスは、駅前にふたつ並んでいた。蛍光灯がほんのり点《とも》り、その横で客待ちのタクシーが三台ばかり並んでいた。逆探知されるだろうか。私は踵《きびす》を返し、もっと暗がりにある公衆電話ボックスを探す。コンビニの横に公衆電話のブースがあった。ガラス張りの店内では、数人の客が商品棚の周りを行き来しているのが見えた。私は息を吸い込んでテレカを差し入れた。

「こちら、一一〇番です。もしもし、どうしましたか」

鼻にかかったおじさんの声。猜疑心《さいぎしん》を募らせている。私は思い切って言った。

「母親をバットで殺して逃げている少年のことで教えたいことがあります」

「どんなことですか」

トーンが一段と真剣味を帯びるのを、私は心地好く思った。

「少年の行き先なんです。ちょっと耳に挟んだのですけど、今、軽井沢の空き別荘に忍び込んでいるみたいです」

「あなたのお名前は」

「言えません」

私は素早く電話を切った。ここを去らないと逆探知される危険がある。私は受話器に残った指紋のことが気になったが、考えてみれば、ミミズとキラリンが補導されれば通話記録がばれるのだから同じことだ、という気になった。キラリンの名前を出さなかったのは、ミミズが捕まる前にキラリンが逃げていれば無傷で済むと思ったのだ。

マンションに着いたら、エレベーターの前に人が立っていた。母親だった。黒のノースリーブのセーターに、白のパンツを穿《は》いている。側に寄ると家のとは違う石鹼《せっけん》の匂いがした。私は顔を背《そむ》けた。母は目を丸くした。

「どうしたの、こんな時間に」

「ちょっとチクリの電話入れてきたの」

私の言葉に、母は色を失った。

「どこに」

「どこだっていいでしょう」

私は強張《こわば》った母の腕に自分の腕を滑り込ませた。母を苦しめて悪い、と思ったのだ。

第七章　キラリン2

夜九時頃、国道一八号沿いの小さなラーメン屋に入った。ファミレスにしたかったけど、明るい店に薄汚さを増していくミミズと一緒に入るのは気が進まなかった。そう、あたしはミミズに対して残酷になっている。ミミズは堕ちた偶像だった。

店は唸《うな》りを上げるエアコンで、鳥肌が立つくらい冷やされていた。剝《む》き出しになった腕が寒い。でも、あたしは寒さより、空腹感に責め立てられて唾《つば》を飲み込むのに必死だった。ミミズは黙って水を飲んでいるだけなので、あたしが豚骨《とんこつ》ラーメンをふたつ注文した。

ミミズは昨夜からしょんぼりしている。反対にあたしは元気だった。

ラーメンがカウンター越しに差し出される。男たちの真似《まね》をして、白濁したスープの中にニンニクのすり下ろしと唐辛子をたっぷり入れ、ネギと紅生姜《しょうが》の容器を引き寄せて加えた。食べられる物なら何でも混ぜて、箸《はし》で搔《か》き回す。薄いピンク色に染まった汁の中からもつれた麺《めん》を引きずり出す。麺を啜《すす》る前から唾液《だえき》がぽたぽた垂れて丼《どんぶり》に落ちるほど。こんなにひもじい思いをしたのは生まれて初めてだった。逸《はや》る心を抑えて、熱い汁を飲んだ。汗が噴き出してくるのを手で拭《ぬぐ》い、麺を噛《か》まずに飲み込む。ラーメンが旨いと感じるまで、しばらく時間がかかるくらいあたしは飢えていた。

家を出たのが前日の昼過ぎ。それから三十時間以上経って口にした初めての食べ物だ。何ておいしいんだろう。いつもだったら絶対に残すチャーシューの脂身も食べた。食紅で不自然な赤に染められた紅生姜も、ぎらぎらの脂が蛍光灯の光を反射している、食品添加物でいっぱいの汁も、すべて残したくない。だが、隣のスツールに座ったミミズは割り箸も割らずにぼんやり丼を眺めている。

「どうしたの」

聞いたのは親切心からではなかった。ミミズに食欲がないのなら、あたしが貰《もら》って食べたいと思ったからだ。ミミズは答えない。

「食べないなら、ちょうだい」

放心していたミミズは我に返った様子であたしを見た。ああ、お前いたの。そういう感じ。バッカじゃねえの。いるに決まってる。おめーが拉致《らち》したんじゃねえか。ラブホであたしを襲った癖に何言ってるんだ、こいつは。だけど、ミミズは自信がなくて、手際も勘も悪く、口説こうとする気概に乏しく、キスも下手糞《へたくそ》で、あたしを裸にすることすらできなかった。ダサイ男。ドジ助。ドーテー。どうしてあたしがこんな奴と一緒にいなくちゃならないんだろう。あたしはミミズを軽蔑《けいべつ》し、とっくに興味をなくしていた。チャリで炎天下を逃走するカッコイイミミズはもうどこにもいない。

さんざんあたしを脅したり、ナメた口を利いたミミズは、頭が変になっていたのかもしれない。訳のわからないことを口走ってあたしを押し倒したはいいけど、あたしが身を固くしていたら、埒《らち》が明かないと思ったらしく突如叫んだ。

「何で俺の思うようにならねえんだよ」

「あったりまえじゃん、そんなの」

あたしは怒った。だって、そうじゃない。あたしの思うようになったことなんて、今まで一度だってなかった。声をかけてくるオトコは馬鹿ばっかで、好きだと思ったオトコはあたしに興味がない。望みと現実の狭間《はざま》であっち行ったりこっちに戻ったり、翻弄《ほんろう》されて生きてるんだよ、みんな。あたしは急に、ミミズ程度のオトコにナメられたことがすごく腹が立ってきてならなかった。こんな最低な奴にコケにされたあたしは、どうしたらいい訳。

「あんたと寝るのなんか包丁で脅されたって嫌だ。死んだって嫌。世界で一番嫌いな奴だもん。早く殺しなよ」

刺されるかと思ったけど、返ってきたのは哀れな声だった。

「どうして」

形勢が逆転した瞬間だった。あたしはいきなり起き上がってミミズを跳ね飛ばした。ミミズは染みだらけの灰色のカーペットの上に頭から転げ落ちた。あたしはそのカッコ悪さを嘲笑《あざわら》った。勇気とパワーが溢れて、あたしはミミズに思いっ切り怒鳴った。

「童貞の癖にいい気になんないでよ。あたしはいい男としかやらないんだからね。あんたは顔も頭も悪くてカッコ悪い。あんたのお母さんみたくあたしを殺したいなら、殺せばいいじゃない。それで済むならやんなよ。簡単だよ。血がどばっと出て、あたしは苦しみながら死ぬ。あんたを恨んで死ぬよ。構わないよ、やんなよ。あんたみたいな馬鹿に会いに来たのは、あたしの責任だもの。あたしはテラウチと違うしさ」

ミミズは黙って暗闇《くらやみ》の中に蹲《うずくま》っていた。そのうち、啜り泣くような声が聞こえた。なっさけねえ。泣いてやんの、こいつ。あたしは素早くミミズのデイパックの中から輪ゴムで留められた平べったい箱を取り出した。中に入っているのは牛刀。こいつの意味のない自信の根拠。アホらしい希望の指針。あたしは牛刀を箱ごとベッドと壁の細い隙間《すきま》に滑り落とした。こいつには絶対このベッドを跨《また》がせない。牛刀を手に入れさせない。あたしは続けた。

「あんたは最低。お母さんを殺して、あたしを手なずけて、テラウチに甘えて、お父さんを殺しに行くとか言っちゃって。自分が頭いいと思ってるんでしょう。女を馬鹿にしてるんでしょう。この世には自分中心の世界しかないと思っているんだよね。ほんとのバーカ」

「馬鹿、馬鹿言うなよ」

ミミズはぶつくさ呟《つぶや》いたが、もう迫力はなかった。

「あたしの言う通りにしなよ」

ミミズは尖《とが》った顎《あご》を上げた。

「どうすりゃいいんだよ」

「あたしが昔付き合ってた男に電話するから、脅してやんなよ。よくできたら包丁返してあげるし、ここの宿代も払ってあげる」

「何て言えばいい」

ミミズは能なしのロボットになってしまった。あたしはこの場の主導権を握ったことが面白くて堪《たま》らなかった。威張りくさっていた奴が急に弱くなったのが愉快だった。どんな愚かしいことも卑劣なことも、悪いこともできそうな気がした。あたしは枕元の時代遅れの受話器を持ち上げた。嫌らしいパールピンクだった。外線番号を押し、今でも暗記している番号にかける。ワタルの携帯に。

「ワタルって奴が出るから、こう言ってやってよ。てめー、ワタル。調子に乗ってるとぶっ殺すぞ。お前の姉ちゃん、今日無事に帰って来たか確かめてみろよ。それから、お前が付き合ってる女を片っ端からレイプしてやるからな、気を付けろって」

ミミズが今の台詞《せりふ》を暗記したかどうか確かめる間もなかった。すぐにワタルの声が聞こえたからだ。懐かしい声だった。

「もしもし、誰。もしもし、これどこの番号」

あたしはワタルの声をもっと聞いていたい衝動を押し殺してミミズに受話器を押し付けた。ミミズは躊躇《ちゅうちょ》していたが、あたしが促すと低い声で一気に言った。

「ワタルか。俺？　俺は人殺しだよ。ほんとだよ。オフクロを殺《や》った。嘘じゃねえ。バットで殴って殺したんだ。頭蓋骨《ずがいこつ》割ったんだぞ。新聞見てみろ。知らねえはずねえよ。お前、人殺ししたことあるか、ねえだろうな。俺はな、今、お前の昔の彼女とやってるんだぜ。知らねえか、お前のこと激しく憎んでる奴だ。お前のこと、殺してやりたいってよ。お前とお前の家族、そう、父ちゃんと母ちゃんと姉ちゃん、それからお前の大事な女や友達、全員殲滅《せんめつ》してやるって言ってるぜ。お前に裏切られたから、お前の存在をこの世から消してやりたいとさ。それが一生の望みだと。俺に殺してほしいんだと。聞いてるか、ワタル。ああ、気は確かだよ。お前、他人からこんなに恨まれていたなんて知らなかったろ。普通の男やってるつもりだったんだろ。甘《あめ》えんだよ。俺が聞いたからにはぜってえ皆殺しだからな。いいか、覚悟決めろよ、てめえ」

初めのうち、あたしはいい気味、と思った。だけど、延々と喋り続けるミミズが薄気味悪くなってきた。そろそろ切りなよ、と合図しながら受話器を取り上げて耳に当てたら、電話はとっくに切れていた。アホらし。

「切れてるじゃん。もう一回かけなよ」

あたしはプッシュホンを押した。逆探知されようが、警察に通報されようがどうでもよかった。だが、何回コールを鳴らしても、ワタルはもう二度と携帯に出ようとはしなかった。ああ。あたしはとっても気分が悪くなって、ミミズに当たり散らした。

「あんたのせいよ。あんたがあたしを巻き込んだから、あたしも変になった。あんたが諸悪の根源。あんたが災いのもと。あたしはもう家に帰る。あんたが二度と戻れなくなった普通の世界に戻る」

「戻れない世界？　俺は追ん出されたのか」

ミミズが顔を上げて、あたしをきっと見上げた。暗闇の中で目が光って不気味だ。

「自分から出たんでしょうが」

ミミズは溜息《ためいき》を吐いてこう言った。

「俺、怖《こえ》えよ。頼むから、俺と一緒にいてくれよ」

これがミミズの二度目の屈服だった。弱い奴。あたしは、ミミズに対して優越感を持った。ミミズは弱く、あたしは強い。あたしはこの夜を境にして自分が大きく変わった気がした。敵をやっつけたような勝利感だった。でも、一抹の不安もあった。もしかすると、あたしはミミズの世界に入り込んだのかもしれない、という。それはワタルに脅迫電話をかけたからだ。あたしは最低の女だろうか。


あたしがほぼ食べ終わる頃、ミミズはラーメンの丼を前にして、まだ肩を落としていた。

「俺、食欲ないことに気が付いた」

「お母さんのことを思い出したんでしょう」あたしは小さな声で厭味《いやみ》を言った。「後悔して、怖くなったんでしょう」

ミミズは顔をあたしの方に向けたが、視線は空中を彷徨《さまよ》っていた。

「何だろう。俺、わかんねえよ」

「どうでもいいけど、兵隊言葉やめたの？」

「面倒臭い」

アドレナリンが体内を駆け巡っている。貰うね、と断ってミミズのラーメンの丼とあたしの空の丼を交換した。あたしは人の食べ物なんか奪ったことはない。親はそこそこ裕福な暮らしをしているから、きちんと食べることはあたしにとってむしろ義務だった。肉を食べろ、ニンジンを残すな。牛肉も豚肉も、脂身はあらかじめカットされ、鶏の皮は剝かれている。おやつは手作りのクッキーとかプリンで、お弁当は必ず持たされた。あたしは卵の黄身が嫌いなので、母はあたしのためにわざわざ白身だけの卵焼きを作ってくれたほどだ。なのに、今のあたしはただの餓鬼だ。ミミズが食べないラーメンの丼を、しめたと思って抱えているんだから。あたしってこんな女だったんだ、と意外な思いでいっぱいだ。勿論《もちろん》、昨夜のことも含めて。

手持ち無沙汰《ぶさた》のミミズは、食い入るようにテレビを眺めている。ナイナイが出ている番組だった。オカムラが英語を喋《しゃべ》るジオスのCMに変わった。が、ミミズは魅入られたのか、目を離さない。あたしには何となくわかってた。ミミズは自分に縁のなくなった世界を眺めているんだって。油でべたべたに汚れたテレビは、スーパーなんかで売っている安っちいカラーボックスの上に載っかっていた。ボックスには、端のめくれたマンガ雑誌が入っていて、トラックの運転手風のお兄さんや、ペンションやってます風のアウトドアおじさんが、入れ替わり立ち替わり席に持って行く。

「あんた、ちょっとおかしいね」

「どういう風に」

「自信を失っているというか」

「そんなことねえけどさ」

ミミズは強がった。でも、ミミズは、別荘に忍び込もうとして見事に失敗したのだ。空き別荘に入り込んで休もう、と言いだしたのはミミズだったが、目星を付けてここにしよ

う と決めたのはあたしだった。赤い屋根の素敵な家だったから。ところが風呂場のガラスを石で割った途端、山中を揺るがす警報が鳴り響き、やがて麓《ふもと》から四輪駆動に乗った管理人が飛んで来たのだ。セコムがこんな山の中まで出張《でば》っているなんて知らなかった。

あたしたちは暗い山道を駆け下りた。やっとのことで国道に出たはいいけど、どこにも行き場がない。所持金ももう一万しかないからラブホに泊まるのも嫌だし、空き別荘もやばい。その時から、ミミズは急に電池が切れたみたいに元気がなくなったのだ。あの馬鹿な兵隊ごっこもやめたし、目も虚《うつ》ろになった。ともかく何か食べなくちゃ、夕飯でもおごるからさ、と慰めたのはあたしだ。何だかんだ言って、あたしがまだ帰ろうとしないのは、ミミズの凋落《ちょうらく》振りが面白いせいかもしれない。いや、ミミズを振り回すのが愉《たの》しいのだ。あたしって案外残酷なヤツ、と自分で思った。もしかすると、ワタルのことも、あたしが振り回せなかったので悔しかったのかも。自分の知らない自分。あたしは今、現れてきた知らない自分が嫌いじゃないと思い始めている。誰よりも強いキラリン。トシちゃんよりも、ユウザンよりも、テラウチよりも強い女。そして、嫌な女。これがあたしの本質だったのかもしれない。

「食ったら早く出よう」

ミミズがあたしの脇腹を肘《ひじ》で突いた。ミミズの肘の先が胸の膨《ふく》らみを掠《かす》った。あたしは不快な顔をしてやった。

「エッチ。やめてよ。あんたとは何の関係もないんだからさ」

「ごめん」

ミミズは素直に謝った。

「出てどこへ行く訳」

「コンビニ。俺、コンビニ好きなんだよ」

ミミズは居心地悪そうにラーメン屋の店内を見回した。お金を払って外に出ると、さっきは気付かなかった星が沢山見えた。きっと空が晴れたのだろう。あたしは夜空を見上げ、目の端で山影が迫っているのを捉《とら》えた。浅間山だ。全貌《ぜんぼう》は見えないけど、大きな怪物が夜の闇に溶けて蹲っているみたいだった。夜の山は気持ち悪い。昨夜のミミズを思い出す。ベッドの横に蹲って目を光らせていたミミズ。やっぱ、こいつは変。あたしはぶるっと震えて、早く別れたい、と心底思ったりもした。

「俺さ、オヤジを殺すべきだと思う？」

先の方のコンビニの光を目指して国道を歩いていたら、ミミズが尋ねた。

「殺《や》りたいのなら殺ればいいじゃん。あたしに関係ないもん。だって、あんたはそうしなきゃ落とし前が付けられないと思っているんでしょう」

「そうだな。うん、そうだ。だけど、何で落とし前が殺すことなのかわからない。ねえ、どうしてかな」

ミミズは、最初に会った頃のように、自信たっぷりにものを言って、あたしを小馬鹿にしたりする奴ではもうなくなっていた。やたら内省的で、思慮深く見えないこともない。代わりにあたしが傲慢《ごうまん》な乱暴者になった気がするのはどうしてだろう。

「知らないよ。あんたの落とし前なんてさ。じゃ、どうしてお母さんを殺したのよ。あんたの産みの親でしょう。あんたは誰かの子供でいることをやめたいってこと？」

ミミズは立ち止まって深い息を吐いた。ミミズの孤独が空気の波動であたしにまで伝わったが、あたしは拒絶するために後ろを向いた。違う世界にいるミミズ。あたしの世界にはまだみんながいる。そう、ワタル以外は。ゆうべはミミズの世界に属したと思ったけど、やはり違う。あたしは誰も殺していない。あたしは何となく安心していた。ミミズの呟きが聞こえる。

「キラリンの言う通りだな。俺、すべての縁を切りたいのかもしんない。この世の中と繋《つな》がっている糸っていうか、俺がいるってことのつまんねえ証拠をさ」

ミミズの口からキラリンという音が洩れた瞬間、あたしは不思議な気分になった。こいつの世界に、実はあたし自身がすでに棲《す》み着《も》いているのではないかという不安だった。あっちとこっち。あたしは本当はどっちの世界にいるんだろう。あたしは山の迫る高原の暗闇を歩みながら、迷っていた。

突然、あたしの携帯が鳴った。オレンジ色の液晶画面に光る発信元は「ワタル」となっている。昨夜のことがばれたのだろうか。先を行くミミズが、不審な顔で振り返った。あたしは動悸《どうき》を抑えて、電話に出た。

「俺、ワタルだけど」あたしは恋しさのあまり、涙が出そうになった。「元気か」

「うん、元気だよ。久しぶりだね。一年半ぶりくらい？」

声が自然と甲高《かんだか》くなった。ミミズが少し離れたところで、あたしを見ている。

「そうだな、そんなもんかな。お前、来年受験だろ」

ワタルは現役で早稲田の法学部に入った。だから、あたしも早稲田に行きたかったのに、もう諦《あきら》めて短大でもいいやと思っている自分がいる。あたしは後ろめたさで歯切れが悪くなった。

「そうだよ」

「勉強してるか」

「まあね」

「そうか、頑張れよ。実はさ、ゆうべ変な電話があったんだ。俺、何となくお前の関係じゃないかと思って、心配になったんだよ」

「どんな電話」

「まあ、いい。言いたくない。イタズラだと思うけど、もしかするとお前が酷《ひど》い目に遭ってるんじゃないか、とか考えて気が気じゃなくてさ」

「心配してくれたの。嬉しい」

あたしの目は感激で潤んでいたと思う。ワタル、今でも好き。愛してる。あたしは切なさで辛《つら》くなった。そして、引け目を感じた。嫉妬《しっと》に狂って自分がした醜いこと。ワタルという輝かしい者を汚《けが》す行いを。

「でも、何で心配してくれるの。あたしなんて、どうってことなかったんでしょう」

「俺が前に付き合ってた女ってお前しかいなかった。なのに、そいつは俺の昔のカノジョってはっきり言ったんだよ。だから、お前の関係しかないと思った。お前が変な奴と関わってるんじゃないかと思ってさ。ま、無事なら良かったよ」

あたしはこの時はっきり、ワタルを失ったと思った。あたしのことが一番好きだと言ってくれたのに、あたしはなぜワタルを信じられなかったんだろう。もっと話したくて言葉を探しているうちに、「じゃ、元気でな」とワタルは電話を切ってしまった。あたしは苦しくてずっと表示を見つめてた。通話時間たったの三分二十秒。ミミズが聞いた。

「誰から」

「答える義務なんてないよ」

ミミズはむっとしたのか、あたしに対抗するようにテラウチに電話を入れた。わかってる。好き合っている訳でもないから、二人きりでいると、息苦しくなるのだ。外部の風が欲しくなる。馬鹿だなあ、と思ったけど、切なさが消えなくてあたしはだんだん憂鬱《ゆううつ》になっていった。真っ暗な知らない土地に、初めて会った男と一緒にいるあたしって何だろう。

ミミズはテラウチとわざと明るい声で喋っている。バーカ。「オリジナリティが欲しい」だって。本当はめげている癖に、勇気を鼓舞しようとしてる。途中、あたしも代わってテラウチと話した。テラウチは、ミミズの顔がインターネットの掲示板に出ている、と教えてくれた。あっちの世界。ワタルやテラウチやトシちゃんのいる世界。受験、ナンパ、渋谷、友達。もう戻れないよ、テラウチ。今そう思った。あたしはわざとはしゃいで受け答えしながら、ワタルを完全に失った痛みと、明るい世界から追放された痛みに堪《た》えていた。

それから二人でコンビニに寄って、弁当と飲み物を買い、雑誌の棚の前でしばらく立ち読みした。昨夜、ラブホでお風呂に入ったはずなのに、ミミズの体が汗臭い。あたしも臭《にお》うのだろうか、と心配になった。罪を共有しているとは思わなかったけれども、あたしがミミズと何かを分かち合った気がしてならなかった。あたしは店を出ると、こっそり制汗スプレーを腋《わき》の下に吹き付けた。テルからメールが来ている。

『キラリン、どうしてる？　心配してるよ。電話ちょうだい』

面倒臭いので、嘘のメールを書いた。

『家に帰って来ちゃった。またいろいろ話そう。来週のライブ忘れないで。あたしは元気だよ』

どうしてテルの存在が面倒臭いんだろう。何でも話せるゲイの友達がいることが自慢だったあたし。テルの友情を利用していたあたし。一緒にいればオトコの一人に見えるし、安全で楽しい。テルも女子高生の友達がいることが自慢だったのかもしれない。あたしというテキトー派の遊び女が。ほどほどの付き合いで、本当の痛みも苦しみも共有しなくていい気楽な関係。もしテルが本当の親友だったら、あたしはきっとこう返事を書いただろう。『ミミズと一緒にいたら訳がわからなくなったよ。あたしは自分のことをいい子だと思っていたけど、本当は悪くて嫌な女だったのかもしれないね。もしかしたら、ミミズより悪い奴かも。ねえ、頼むからお金貸してよ』って。

「お前さ、家に帰れよ」

携帯を覗《のぞ》き込んでいたあたしの後ろから、ミミズがぽつんと言った。あたしは振り向いてミミズの顔を見る。

「何で」

「俺といたって意味ねえじゃん。俺は犯罪者だしさ」

ミミズは白眼の目立つ吊《つ》り目であたしを睨《にら》んでいる。あたしは突如、ちっとも家に帰りたくない自分に気付いた。あっちの世界に戻りたいけど、縁を切っても構わないという不思議な気分。解放感とも違う。ただ、帰りたくないだけ。いつまでもどっちつかずで浮遊していたい。

「ゆうべは、一緒にいてくれって言ったじゃないよ」

「じゃ、俺といたいのかよ」

「別に」

ミミズは弁当の入ったレジ袋の音をがさがさせて先に歩いた。あたしはその後を付いて行く。


警官の姿がやたら多い、と気が付いたのは、二人でもう一度別荘を狙《ねら》おうか、と別荘地への山道を歩き始めた頃だった。麓からまたパトカーが二台続けて登って来る。二台目のパトカーは、すぐ先の別荘の前で停まって、警官が一人降りてインターホンを押している。笹《ささ》の茂みに隠れたミミズがあたしを小突いた。

「やべえなあ。ただのこそ泥捜しと違うぞ、あれ。誰かが俺らのこと密告《チク》ったんじゃねえかな」

「密告《チク》るって誰が」

「お前の友達。みんな俺のこと知ってるだろう。ユウザンじゃねえか。俺、あいつ気に入らねえから冷たくしたもんな」

不意に、テラウチの殊更《ことさら》のんびりした声が蘇《よみがえ》った。テラウチがのどかにものを言う時って、大抵何かを企んでいる時だと思い起こす。そうなのだ。あいつは自分の本心を隠そうとする時に限って、わざとつまんない冗談を言ったり、薄馬鹿の振りをする。

『あーだー。仲良さそうだねー、殺人犯と』

『軽井沢にいるんだって』

「テラウチだよ」と、あたしは叫んだ。「間違いないよ。トシちゃんもユウザンもあんたの逃走助けてるもの。通報する訳ないじゃん。何もしていないのはテラウチだけだもの」

「テラウチって、そういう奴なのか」

ミミズは悔しそうだった。テラウチに犯行声明を作れ、などと子供じみた命令をしたことを後悔してるのだろう。

「わからない。でも、あたしはテラウチの心だけは読めないんだ。あの子だけは何をするか見当が付かない」

ということは、信用していないということか。あたしは初めて、あたしとテラウチの関係が明確に理解できた。

「畜生、やられたのかな」

あたしはテラウチに電話してみたが、電源が入っていなかった。確信。ここから早く逃げなくちゃ。あたしはパニックに陥った。何としても逃走しなくてはならない。だって、今捕まったら、あたしはこっちの世界に閉じ込められたままになる。浮遊するのはいいけど、閉じ込められたくはなかった。誰も気付かないうちに、ワタルの住むあっちの世界に戻らなくては。陽の当たる世界に。どうして、テラウチはあたしを閉じ込めようとするんだ。あたしはテラウチの整った横顔に、誰も容れない厳しさが漂う瞬間を思い出していた。許せねえよ、テラウチ。覚えてろ。あたしはテラウチへの憎しみを募らせた。

「どうしようか」

あたしはミミズの顔を見た。ミミズは背負ったデイパックを藪《やぶ》に下ろし、長い首を傾《かし》げて考えに耽《ふけ》っている。そんなことしてる場合じゃないだろが。あたしはミミズの腕を摑《つか》んだ。

「早く決めなよ。ぐずぐずしてると捕まるじゃん」

「わかってるけど、考えが浮かばねえんだ」

「どっかの安いラブホに泊まって、明日の朝早く電車で帰ろう。鈍行なら何とかなるよ」

「帰ってどこに行くんだよ」ミミズは弁当を地面に投げ捨てた。「俺、オフクロ殺したんだぜ。俺、どこにも行くとこなんかねえよ」

「じゃ、お父さんを殺しに行こう」

あたしはミミズのとんでもない目標に縋《すが》り付いた。ことの善悪より、何かに向けて行動したい。ただ、それだけだった。

「お前も一緒に俺のオヤジを殺すのかよ」

あたしはかぶりを振った。

「しない。だって、何の恨みもないもん」

「だったら、お前はどうすんだよ」

　何も考えられなかった。あたしはすべてを見失った気がして立ち尽くしている。素足に蚊がたかってきたけど、払い除《の》けるのも面倒だった。ぼんやりしていたら、いきなりミミズがあたしを抱き締めた。汗臭いよ、バカ。ミミズの体を押しやろうとしたが、ミミズは強くあたしを抱いて離そうとしない。あたしたちは藪の中にどさっと倒れた。笹の茎があたしの背中を刺す。痛い、と言おうとしたのに、ミミズは性急にあたしの唇を吸った。強い力だった。仰向けになった胸を両手で鷲摑《わしづか》みにされる。滅茶苦茶になってもいいや、と思った途端、痛みが快感になった。あたしはＴシャツをまくり上げ、自分で服を脱いだ。突然燃え上がる、なんて生まれて初めての経験だった。こんなにせっぱ詰まっているのに、なぜこんなことをしているのかわからないまま、あたしたちは脱いだ服を地面に敷いて慌《あわただ》しくセックスした。

「腹が減った」

　裸のミミズがさっき投げ捨てた弁当を探している。やっと探し当てて、あたしのところに持って来る。ミミズが急に優しくなったので、嬉しかった。あたしたちは全裸で弁当を食べ、ペットボトルの水を交代で飲んだ。そして、今度は松の木の幹にあたしの背中を押し付けて立ってやった。あたしはこのまま永遠にミミズとやり続けるような気がした。

　上から懐中電灯の光と共に、男の話し声が聞こえた。あたしたちの声を聞き付けたのか、警官がやって来たのだった。山狩りしているのかもしれない。あたしたちは地面に這《は》いつくばって光を避けた。見付かったらどうしようか。あたしはすごく怖かった。大人に追われていることが怖かったのではなく、山中で訳もわからず、裸でセックスしていることそのものが責められ、罪に問われるような気がしたのだ。それは、生の恥の感覚に近い。そう、アダムとイブみたいな。

「逃げよう」

ミミズが囁《ささや》いた。あたしは急いで服を身に着けた。ミミズに手を取られて、山道を走り下りる。パトカーや乗用車が来る度に道端や藪に隠れながら。国道一八号に出ると、あたしたちが寄ったコンビニの前にパトカーが停まっているのが見えた。

ちょうどその時、空のタクシーが来た。あのタクシーを逃したら、あたしはこの世界から逃れられない。

「あれで東京に戻ろうよ」

「金がないじゃん」

あたしはミミズの顔を見上げた。

「あんた、タクシー強盗するって言ったじゃない」

あたしは国道に走り出て、迷うことなくタクシーに手を振った。運転手が驚いた顔で車を停めるのと、ミミズがあたしの背中を押すのと一緒だった。

「やるよ、やってみよう」

あたしたちはタクシーの後部座席に乗り込んだ。中はエアコンで冷やされた煙草の臭いが充満していた。白いカバー付きの帽子を被《かぶ》った地元タクシーの運転手がのんびり振り返る。四十代後半と思《おぼ》しきおじさんだった。運転席に生茶のペットボトルを置いている。

「女の人だけだったら、幽霊かと思っちゃうよね。アベックか」

「古いなあ。アベックじゃないよ、カップル」あたしは震える語尾を誤魔化《ごまか》そうと笑った。

「すみませんけど、東京まで。急いで東京に帰らなくちゃならなくなったの」

運転手が半信半疑で聞き返す。

「これから東京？」

「そう、電車ないけど、急病人出たから仕方ないの。すいません、調布《ちょうふ》なんで調布インターで降りてください」

バックミラーで、ミミズの顔を確認した運転手が一瞬ぎょっとした顔をした。ばれたのだろうか。あたしもぎくりとしてミミズの横顔を見る。ミミズは蒼白《そうはく》な顔で俯《うつむ》いている。馬鹿。しっかりしろ。あたしはミミズの足をどやしつけた。

「この人の親なの。危篤なんだって。だから、お願いします」

「あ、そう」運転手は神妙な表情になったが、しっかり問うた。「そんな時に悪いけど、お金大丈夫ですか。東京なら深夜だし、軽く五万はいくよ」

「大丈夫。現金はあるから」

運転手は迷ったらしく、のろくさと車を走らせた。

「そりゃ、いいけど。あんたたち若いからちょっと心配になって」

「お願いします。絶対払いますから」

運転手は路肩に停車した。

「申し訳ないけどさ、現金持ってるかどうか見せてくれる」

あたしは運転手のしつこさに辟易《へきえき》して頭にきた。一万円しか持っていないのだから、払えっこないじゃん。ミミズが怒鳴る。

「足りなかったら、親から貰うから頼むよ。オヤジが死にそうなんだよ」

運転手はミミズの怒鳴り声に露骨に嫌な顔をした。そして、あたしの格好を点検するように凝視した。Tシャツに木の葉や土くれが付いている。あたしは手で払い落とした。

「お客さん、そこで落とさないでよ。車汚れるから」

どうしよう。あたしは途方に暮れてミミズの方を見た。ミミズが片手で床に置いたディパックをごそごそ探っているのがわかった。ミミズはベッドと壁の間に落とした牛刀を持って来ていたのだ。あたしはその腕を押さえ、粘り強く言った。

「家に電話してみますから」

あたしは仕方なしに家に電話した。案の定、眠そうな母が文句を言う。

「あなた、今どこにいるのよ。連絡ないから心配してたとこよ。夜中に何してるの」

「これから帰るんだけど、タクシー代足りないみたいなの。着いたら払ってくれる？」

母が文句を言ってるうちに急いで切った。

「払うと言ってますから」

母の声が洩れ聞こえたらしく、運転手が不承不承頷《うなず》いて車を発進させた。良かった。とりあえずこれで東京まで帰れる。後は何とかなるだろう、と楽観的な気持ちが湧《わ》いてきた。地元のラジオ局が流す歌謡曲の放送が途切れ、いきなり、雑音混じりの不明瞭《ふめいりょう》な音が入って来た。

「忘れ物です。大きな忘れ物です。お客さんは若い男性。繰り返します。忘れ物です。客は若い男性。大きな忘れ物があったら、すぐ連絡してください」

運転手がちらりとバックミラーを見上げる。あたしは何となく不穏な気がした。ミミズが尋ねた。

「今の警察無線なの」

「違いますよ。会社から」

運転手はもう後ろを振り返らなかった。車をとろとろと走らせる。あたしはペットボトルに残った水を少し飲んだ。底に泥が付いているのに気付き、シートで拭った。すごい冒険だ。さっき山の中でミミズとセックスしたことへの戸惑いは消え、あたしは自分たちの大胆さに満足していた。前の車のテールランプを眺めていると眠気が来る。あたしは少しまどろんだ。

「てめえ、何すんだよ」

ミミズの罵声《ばせい》が聞こえたのでびっくりして起きた。目の前に牛刀が見える。運転手の喉許に切っ先が突き付けられていた。

「どうしたの」

「こいつ、交番に突っ込もうとしたんだ」

慌てて窓外に目を遣《や》ると、左手に交番が過ぎ去っていく。運転手がふてくされた顔で前を向いたまま呟いた。

「やめなよ、あんたたち。タクシー強盗って重罪だよ。あんたら、まだ若いんだからさ。将来のこともあるんだし」

ミミズがへっと嘲笑《あざわら》った。

「俺の将来なんてねえよ。俺、オフクロ殺したんだぜ」

運転手が息を呑《の》んだ。対向車線のヘッドライトを浴びて、牛刀がぎらりと光った。高速道路のインターが見えてきた。車が数台、並んでいる。入り口にパトカー。あたしはミミズに叫んだ。

「検問してるよ」

「下の道路行けよ」

渋々、運転手が側道に逸《そ》れた。ドライブインの多い田舎《いなか》臭い道だった。運転手が哀れな声で言う。

「このままずっと逃げられないよ。ほんとに悪いこと言わないから、やめた方がいい。お金あげるから二人でどっかに行きなよ。まだ若いんだからさ」

「黙って運転しろよ」

ミミズが言い渡す。

「どこまで行くの」

「東京だって何度言わせんだよ。バッカヤロー」

運転手は口を噤《つぐ》み、タクシーは細い道を走り続けた。途中、運転手の携帯電話が鳴った。競馬のファンファーレの着メロだったので、驚く。「出るな」ミミズが言うと、運転手は諦めたように頷いた。携帯はその後も一回鳴ったが、無視した。十五分ほど経った頃、ミミズがあたしに言った。

「ちょっと交代してよ。俺、持ってるの疲れた」

ミミズはあたしに牛刀を渡し、座席にへたり込んだ。震える手で牛刀の握りを摑む。緊張していたらしく、包丁の握りはミミズの汗でべとべとだった。運転手がちらりと刃を見てから、あたしの顔に視線を当てる。お嬢さん、いい加減にしろよ、という目付き。あたしは両手でしっかりと包丁を持ち、運転手の喉首に向けた。血管の浮いたオヤジの汚い首。高一の時、渋谷で中年オヤジによく声をかけられたことを思い出した。

『お茶でも飲まない』

よくもまあ若い女に声をかけられるものだと呆《あき》れるくらい、汚い男たち。ヤニ臭い息を吐き、ダサイスーツを着て、懐にはたったの一万か二万。あいつらが自分の娘と同じ年頃の女子高生に声をかけられるのは、あたしらをナメてるからだ。娘はいい世界、あたしらはダメな世界。はっきりと区別してるからだ。急に怒りが湧いてきて、あたしは離れかけていた切っ先を運転手の皺《しわ》んだ喉首にぴたっと当てた。

「姉さん、怖いからさ。少し離してよ」

運転手が懇願した。

「嫌だよ。ナメんじゃないよ」

「ナメてないよ、別に。運転しにくいから頼んでるんだろうが。ここで事故ったら、困るのあんたたちでしょう。まったく、何して来たんだか知らないけど、いい迷惑なんだよ」

あたしは何となく腹が立った。あたしが牛刀を突きつけたところで、運転手はあまり怖がっていないという事実に。傍《かたわ》らでミミズが起き上がる。

「こっちはね、今日はそろそろおしまいだったの。だから、東京って言われた時に困ったな、と思ったよ。だけど、困っているのなら助けてあげたいと思ったりもしてね。タクシーの運転手ってのは、基本的に人がいいんだよ。でも、あんたらみたいなガキに脅されてたんじゃ頭にくるよね。こっちも。もう怪我したっていいから、こんなことしてみようかって思うよね」

運転手はいきなり蛇行運転をした。あたしはミミズの膝の上に転んだ。牛刀が床に落ちる。運転手は蛇行運転をやめない。あたしもミミズも右に左に揺れて、体を方々にぶつけた。対向車線のトラックが警告するように、長いクラクションを鳴らしながら擦《す》れ違って行く。

「てめー、何すんだよ」

ミミズが落ちた牛刀を拾い上げ、運転手の耳に斬《き》り付けた。血が噴き出る。あたしは悲鳴を上げ続けた。やめて、やめて。何をやめてほしいのか、自分でもわからなかった。それはおそらく、ミミズが運転手に斬り付けたことではなく、運転手があたしたちをナメて蛇行運転をすることだった。バカヤロー、ナメたことすんじゃねえよ。オヤジ、テラウチ、ワタル。

「やめないよ。多少怪我したっていいって言ったじゃないの」

運転手がシートベルトを外した。対向車線に大きくはみ出してタクシーは走り続ける。バイクを追い越して、山道の上りに差しかかった。

「やめろって言ってんだろうが」

ミミズが怒鳴った。あたしは運転手の髪を後ろから摑んで止めようとしたが、プラスチックの衝立《ついたて》が邪魔でうまくできない。白いカバー付きの帽子が飛んだ。同時に、血しぶきでフロントガラスが真っ赤になった。あたしにも温かい血がかかった。汚いオヤジの血。あたしは何か叫んだ。その後、激しい衝撃が来て、あたしはどこかにすっ飛んで行く自分を感じていた。空を飛ぶ。爽快《そうかい》爽快。

第八章　ホリニンナ2

dear　ホリニンナ、

あるいは、山中十四子様、

はたまたトシちゃん、あいらぶゆ。

トシちゃんしか書く相手がいないから書いてます。ていうと、ずいぶんな言い草じゃん、とトシちゃんは怒るだろうし、テラウチってやっぱ寂しい人間なんだ、と同情してくれるんだったら、それはそれで結構なこと、つまりはどちらも真実なので、聞いてください。

この手紙が届く頃、あたしは現世にはいないと思います。こういう出だしってよく暗いマンガやクサイ小説にあったなあ、とうんざりするでしょう。でも、本当です。あたしは手紙を投函《とうかん》したら、死ぬつもりです。すぐ死んだのでは、トシちゃんが手紙を入手する前にあたしの死のお知らせの方が先に着いてしまい、それは思ってもみないダサイ結末なので、ぜひとも避けたいです。ちなみに、あたしは一度こういう出だしのクサイ小説を書いてみたいとか思ったこともあり、実際書いてみたけど、結果は最低だったから、ぐしゃぐしゃに丸めて千切って、おしっこと一緒にトイレに流してしまいました。

ああ、トシちゃんに書く最初にして最後のマジな手紙なのに、あたしの韜晦癖《とうかいへき》は消えてなくならず、むしろ跳梁跋扈《ちょうりょうばっこ》しているくらいで、それはそれであたしは自分がかなり愛《いと》おしくて、この世から消滅することが辛《つら》く苦しいんだけど、どうしてもそんな根性なしじゃいかんと自分を叱咤《しった》激励して書いている訳で、この懊悩《おうのう》をどうやったら伝えられるのだろうと迷妄し、ええい、言葉って奴は何でこんなに面倒、かったるいものだって、舌ごと引っこ抜きたい衝動に駆られているのです。でも、考えてみたら、こうして書いているのは言葉ではあるけれども、あたしの口を伝って出る訳じゃないのだから、懊悩の正体というのは言葉の様じゃなくて、あたし自身の在り方にあるんだと思います。そう、あたしはまだ怖がっているんですよ、正直になることを。死ぬより怖い。だからって、書く言葉まで照れててどうすんだって。

ああ、やっと落ち着いてきました。あたしが照れ屋だから韜晦してるのかって言えば、それはきっと違っていて、あたしは自分の心の暗闇《くらやみ》を見たくないって思っていることにやっと気付いたところ。そして、さっきからあたしが悶《もだ》え苦しんでいるのは、あたしがトシちゃんに何かを伝えたいから手紙を書くんだ、という書く理由がようやくわかってきたからなんだろうね。あたしって本当にうざい奴だ。でも、あたしという人間がいたことをトシちゃんにちゃんと伝えられるだろうかって、あたしはすごく緊張してるんだよ。まわりくどく書いているけど、それはあたしの想念というものがぐるぐると螺旋《らせん》状に巡っているからであって、あたしの思考の癖みたいなものなんだけど、その行き着く先は案外シンプルなことかもしれず、あたしはもしかしたら、誰かに理解されて死にたいだけなのかもしれない。死を前にして、あたしはやっと小説家たちが作品を書く理由がわかった気がする。みんなどこかの誰かに理解されて死にたいんだよ。あたしの場合、誰かとは、母でもなければ、父でもユキナリでもなく、ユウザンでもない。トシちゃんしかいない。

迷惑かもしれないけど、あたしは何とか自分を吐き出して死んでいきたいから読んでほしい。読みたくなかったら、ここでやめてくれないだろうか。もし、読みたくなかったとしても、この手紙はあたしの母親にだけは見せないで。そして、ここまでの部分をトシちゃんの心に仕舞《しま》って、捨ててほしい。

重たかったらホントにごめん。だけど、あたしはトシちゃんに出会って良かったと思うよ。トシちゃんがいなかったら、あたしは自分の暗闇を誰にも見せずに死んでいかなきゃならなかった。それは、一見潔《いさぎよ》く見えるけど、本当は違うと思う。だって、あたしは最後まで自分を見つめて、自分が何者であったのかを知って、死ぬべきなんだもの。そうじゃないかな。それには他人の目が必要なんだよ。だから、トシちゃんはしっかりあたしの正体を見抜いて、勇気をもって笑ってやってよ。ああ、テラウチって馬鹿な奴って。あんな女はこの世からいなくなって当然って。駄目かな。

トシちゃんがあたしで、あたしがトシちゃんだったら、絶対にそうするね。約束する。トシちゃんは、あたしが先に死んでいくんだから約束なんてあり得ないじゃん、狡《ずる》いよ、と思うかもしんない。狡くないよ。だって、あたしがトシちゃんに晒《さら》け出そうとしているのは、トシちゃんが知らない間に引きずり出していたあたしの知らない部分なんだもの。トシちゃんがあたしを少しずつ変えたんだと思う。だから、あたしたちはお互い様なんだよ。要するに、トシちゃんはあたしの死を受け止めるべきなんだ。

トシちゃん、どうしてあたしが死んでしまうのか、ちっとも事態がわからないだろうから、少し説明するよ。それがフェアってもんでしょう。あたしにはもう生きていたくない理由が幾つかあるんだ。

ひとつはあたしの難しい性格。それはトシちゃんにもわかってると思う。あたしは年若い超哲学的人間。抽象的思考と激しい感情の牢獄《ろうごく》に閉じ込められた、実に生き難《にく》い性格の持ち主で、それも人類が初めて味わう家族の変容というか、家族の役割なんて誰も考えちゃいないぐちゃぐちゃの状態の中で日々変わる、複雑かつ個人的なものであるからして、誰にも理解できないと思うから、自分にいろんな衣《ころも》を着せて生活せざるを得ないのです。

そうしないとやってけない。それだけでもすごく疲れるのに、あたしは現実の生活の中で、どうしても失いたくない人間に屈服したんだよ。

それは屈辱というより、あたしの生き辛さを更に強めただけだった。そんな選択をした自分を、あたし自身が許せなくなっているんだとしたら？　それでも生きていくには、自分を受け容れざるを得ないとしたら？　あたしはどうしたらいいのだろうか。結論。自分が崩壊した方がいい、消滅するべきだ、とあたしは考えた。

ちなみに、あたしが屈服せざるを得なかった相手というのは、トシちゃんも会ったことのあるあたしの母親です。マザコン？　違うね。あたしはマザーを超越した。でもって、一人の人間としてマザーを好きなんだ。だけど、母親を苦しめたくないあたしは、母親より長生きしてはいけない年老いてしまった人間。

そしてもうひとつは、これが決定的なんだけど、生きていたくないというより、生きていられなくなった大きな理由がある。あたしはこのことに対して自分の命で責任を取らなくてはならない。キラリンの事故のこと。長野のタクシー運転手とキラリンが死に、ミミズが大怪我をした事故。見ず知らずの運転手とキラリンの二人が死んだのは、間違いなくあたしのせいだ。

あたしが死ねば真実はわからなくなってしまうだろうから、ここではっきり書くよ。あたしはミミズとキラリンから電話を貰《もら》った夜、警察に二人の居場所を教えたんだ。駅前のコンビニにある公衆電話から、二人が軽井沢の空き別荘に隠れていることを密告した。だから、ミミズとキラリンは警察の包囲網から逃げようとして、タクシー強盗をし、事故を起こしたんだと思う。起きなくていいことが、あたしの頭と指先から起きた訳だ。そういう因果関係。トシちゃん、因果の因を作ったあたしは間違いなく死刑じゃないだろうか。ていうか、自分で死刑宣告してやったよ。

トシちゃんはあたしがそんな責任を感じる必要はないと言うだろうね。でも、あたしは確信犯的にキラリンとミミズを追いつめようとしていたし、二人に罰を与えてやろうと思っていたんだ。これは事実。あたしはミミズが「取り返しの付かないこと」から逃げて、取り返しの付くわかりやすさを選んだと軽蔑《けいべつ》していた。それは、あいつの母親殺しのことだけど。そんな安易なことをして逃げ回っているミミズを心底から馬鹿にしていたんだよ。

あたしは母親を好きなあまり母親を赦《ゆる》し、赦すことによって自分を大嫌いになり、この世にいたくないほど自分の存在自体を憎んだ。だけど、ミミズの母親に向けられるまっすぐな敵意には憎悪を燃やしたんだ。だって、あたしの大好きな、ぐるぐる巡る想念がなさ過ぎるんだもの。考えることを忌避してるんだもの。わかりやす過ぎるんだもの。そういうわかりやすさで自分の懊悩を単純化するな、と怒りを感じた。この奇天烈《きてれつ》な論理、いや感情は、興味本位でミミズのとこに行っちゃったキラリンにも向けられたんだと思うよ。無論、通報を躊躇《ためら》ったトシちゃんにだって、チャリを貸したユウザンにだって、あたしの怒りは向けられていた。なのに、あたしはいつも通りへらへらとミミズとキラリンに協力する振りなんかして。何でだろうね。あたしは本当はものすごい悪人かもしれない。

通報した後、あたしはすごく嫌な気分になった。口の中に苦いものがあって、何度唾《つば》を飲んでも消えない感じ。今思えば、それはあたしが一線を越えた瞬間で、その味だったんだ。夜、あたしは自分を何とか誤魔化《ごまか》してベッドに入って、むりやり目をつぶったけれども、変な夢をたくさん見たよ。キラリンがトラックの荷台に載せられてどこかに売られていく夢とか、あたしが母親を警察に通報している夢とかね。これってフロイト的にはどうよ?

そしたら早朝、トシちゃんから電話を貰った。『キラリンが死んじゃったんだって』という、携帯から聞こえるトシちゃんの悲鳴みたいな声を聞いた途端、わかったんだよ。あたしがしたことが、本物の取り返しの付かない悲劇を生んだって。でも、あたしが付かないことって、あたしの場合は生きている人間の心に押された刻印だった。取り返しの付かないこリンを失ったのは、リアルな取り返しの付かないことなんだって思ったら、全身に鳥肌が立った。すごく怖かった。恐怖ってのは、自分を晒け出すこと以上の危機だった。あたしの哲学ががらがらと崩れた。リアルだと思っていた世界が崩れて、中からまたリアルが出現してくるの。そう、超リアル。あたしは何者だってずっと考えてきて、ほぼ結論が出ていたのに、また一からやり直さなくてはならなくなってしまった。あたしは間違っていたのだろうか。

　あたしの様子が変なんで、母親が起きてきてあたしに聞いたんだ。『何があったの』って。『キラリンが軽井沢で死んじゃったんだ。事故』って答えた。母親はびっくりして、こう言ったよ。『何てことでしょう。お母さんがお気の毒だわ』。その時、あたしが何て言い返したと思う、トシちゃん。自分でも顔を赤らめるようなセリフだよ。超哲学少女が何を言うか、というほどの呆《あき》れる類《たぐい》のお笑い草だったよ。いくらこの手紙が遺書でも、母親に言った言葉だけは恥じて書けない。それだけは友達に免じて赦してほしい。

　ともかくあたしは自分を恥じている。そして、とても疲れた。そろそろ死にたいと思っていたから、ちょうどいい頃合いかもしれない。母親は可哀相だと思うけど、あたしよりもっと大事な人間がいるから何とか生きていけるんじゃないかな。父親と弟のことまでは、悪いけど考えられない。トシちゃんはあたしからこんな手紙を貰った上に、あたしが死んでしまったらとても苦しいと思うよ。でも、トシちゃんはいい奴だから、魂がまっすぐで強いから、大丈夫のような気がする。あたしは駄目。皆にグッドバイしたい。へっ、これって太宰治じゃない。レポート書かされたことを思い出すと泣けてくる。じゃね。バイバイ。あたしはリアルワールドに旅立つ。だって、自分の死こそが超リアルの中にあるほんとのリアルってもんだろ。しっかり生きろよ。あだー。

寺内　和子

紛れもない遺書だ。あたしは遺書というものを手にするのも読むのも初めてだった。これがテラウチの最後の言葉だ、と思うと、内容がすぐに頭に入っていかなかった。

結局、手紙は投函されておらず、「山中十四子様」と表書きがしてあって、封印されたまま、テラウチの机の上に置いてあったという。切手が貼ってなかったから、テラウチは切手を買う間も惜しんで、近くのマンションの屋上から飛び降り自殺してしまったのだ。手紙にはさんざん、死の知らせより手紙の方が先に届くようにしたいと書いてあったのに。何てせっかちなんだろう。そのことだけでもテラウチの焦る気持ちがびんびん伝わってきて、あたしは何だか笑いたくなったが、顔が醜く歪《ゆが》んだだけだった。テラウチのバカ、ちゃんとやれよなって。

ミミズの母親の死、キラリンの死、知らないおじさんの死、ミミズの怪我、テラウチの自殺。あまりにもショッキングなことが続いたので、あたしは涙も出ない。物事を深く考えられない。抜け殻みたいなあたしが、テラウチの遺書の封を切り、テラウチの両親とあたしの母親が注視する中で読まされている。

「何て書いてあったんですか」

最後まで読み終わった途端に、テラウチの母親があたしに尋ねた。たった半日で水分と脂分と生気がすべて奪われたかさついた顔。その顔が娘の自死の理由を知りたい、と必死に迫っている。啜《すす》り泣いているのは父親だけで、母親は気丈だった。弟のユキナリは自室に籠《こ》もったきり、出て来ないらしい。

あたしの肩には、あたしをしっかり守ろうというようにあたしの母親の手が掛かっていて重かった。あたしと母親は、『十四子さん宛の遺書があるからすぐに来て開封してほしい』とテラウチの母親に請われ、取るものも取りあえずテラウチの家に駆け付けたのだった。

テラウチの死の知らせは全然思ってもいなかったから、ものすごく唐突どころか、とんでもなさ過ぎる出来事で、むしろ滑稽《こっけい》なくらいだった。だから、あたしは泣けない。虚《うつ》ろな心があるだけだ。そもそも、早朝にキラリンの事故死という衝撃的なニュースがあり、そのことで家中どころか近所中、そして学校からも連絡があって大騒ぎだったのだ。

キラリンの事故死は、前にあたしに質問した女性刑事からもたらされた。そして、その半日後にはテラウチ自殺の電話。どうなっているのか、さっぱりわからないままにあたしはテラウチの手紙を読まされている。ああ、混乱している。少し落ち着こう。時間的経過を追えばこうなるのだ。

八月十日、今日の早朝。家の電話が鳴った。家の電話にかけてくる人はセールスか、親戚くらいだ。用事のある人は皆、それぞれの携帯にかけてくる。だから、早朝、家にかかってくる電話はそれだけで不吉だった。あたしはまだ誰も起きて来ない家の中で響くコールの音をひとつ、ふたつと数えていた。時計を見ると六時前。バッドニュースじゃないか、あたしはタオルケットを胸元まで上げた。コール五つ目で、父親が階下で取った気配がした。まさか、まさか。あたしの部屋の子機が鳴る。父親の声。

「警察の人から。お前に直接話したいそうだ」

あたしはとうとうミミズが捕まって、あたしたちが逃亡を幇助《ほうじょ》したことがばれたに違いない、と憂鬱《ゆううつ》な気分になった。いや、憂鬱というのは当たらない。どっちかと言うと、やべえ、という感じだった。言い訳を考えながら恐る恐る出たのだが、「お早うございます。朝早くからすみません」と丁寧に挨拶されて面食らった。相手はあたしに質問しに来た女性刑事だった。

「十四子さんですか。寝ていたのならごめんなさいね。実は、大変なことが起きたので、あなたにもお知らせしなくちゃと思って。びっくりさせるけど、落ち着いて聞いてください。こういう電話って、あたしもかけにくいんですよ。実は今、長野県警から連絡がありました。東山きらりさんという女子高生が、先程、軽井沢の病院で亡くなられました。お宅の隣の少年と一緒だったというので、なぜそういうことが起きたのか、こちらも驚いています。同じ高校だから、あなたのお友達じゃないですか。東山さんは前から隣の少年と付き合っていたのかしら。知っていたら教えてください」

キラリンが死んだ。あたしは呆然《ぼうぜん》として、キラリンはミミズに殺されたと思い込んだ。

「キラリンは殺されたんですか」

「キラリンって東山さんのことですか」女性刑事は落ち着いていた。「詳しい事情はわかっていません。ただ、昨夜遅く、隣の少年がタクシーを襲ったことは確かです。そのタクシーは蛇行運転の末、対向車と正面衝突して大破。東山さんはフロントガラスを突き破って道路に投げ出されました。全身打撲で意識不明のまま、亡くなられたということです。東山さんがどうして少年と一緒だったのかは不明ですが、目撃情報では仲が良さそうだったとか。お願いしますから、どういうことなのか教えてください」

驚いたことに、女性刑事は涙声だった。あたしは関係のないことを思い出した。女性刑事のブラウスの襟が、重いブローチで垂れ下がっていたことなんか。キラリンが死んでしまったことが意識の中にどうしても入ってこない。

「あたしにはわかりません」

実際、見当も付かなかった。キラリンがミミズと一緒にいた事実は知っていても、キラリンが何で死ななくちゃならなかったのか、あたしには全く理解できない。突然、仰天《ぎょうてん》するような出来事が降ってきて、あたしの世界をぐちゃぐちゃに掻《か》き回している感じだった。

「そう。じゃ、そのことは今度ゆっくり聞かせて貰いますね」

女性刑事は諦《あきら》めた様子で言った。あたしはその言葉尻に疑問を被《かぶ》せた。

「だけど、どうしてタクシーを襲ったって、わかるんですか」

「運転手の方は包丁による失血死なんです。喉《のど》を切られていたそうです。後ろから切られたのでしょう。隣の少年も病院でそう供述したそうです」

やばい。本当にやばい。どうしよう。ミミズがキラリンを連れてそんなことをするなんて。あたしは膝ががくがく震えてきて、立っていられなくなった。ベッドにくずおれる。とんとんと誰かが肩を叩《たた》いた。目を上げると、心配そうな顔をした父親が、開いた朝刊をあたしに示していた。それには、『行方不明の少年、タクシー強盗の末、事故』とあるではないか。ちゃっかり朝刊に間に合っている。ミミズの名前も、キラリンの名前も出ていないが、キラリンは「同行の女子高生」とあり、共犯を仄《ほの》めかされていた。

「ミミズ、じゃない、隣の子はどうしたんですか」

「右腕と頭部打撲、肋骨《ろっこつ》骨折で病院に収容されています」心なしか、女性刑事の声は冷ややかだった。「内臓破裂の疑いもあるって聞きましたが、その後の連絡はないです。あたしたちもこれから行って確認します」

電話を切った後、あたしはすぐさまキラリンの携帯にかけてみたが、留守番電話になっていた。キラリン、携帯はどうしたの。国道の端に転がっているキラリンのピンクの携帯を想像したら、胸がずきんと痛んだ。キラリンの自宅も留守電。

あたしは窓に目を遣《や》った。カーテンの向こうに、朝の青空が感じられる。今日も暑い一日になりそうな夏の朝。これは、本当のことなんだろうか。信じられなくて、意識が朦朧《もうろう》としてくる。

父親が何か言ったみたいだったけど、あたしの頭は一切受け付けなかった。そうだ、テラウチに連絡しなくちゃ。あたしが再び携帯に飛び付いたのを見て、父はいつの間にか部屋から出て行った。この時、あたしが電話さえしなければ、テラウチはその日に死ぬことはなかったのかもしれない。

「テラウチ、キラリンが死んじゃったんだって」

テラウチは何も答えなかった。

「聞いてるの。キラリン死んじゃったんだよ」

「聞いてる」

テラウチの声は地底から聞こえてくるみたいに低くて小さかった。何でこんなにテンションい低いんだ、こいつ、とあたしは思った。

「ほんとなんだよ。今、警察から電話があってさ、ミミズがタクシー襲って、事故起こしたんだって。一緒にいたキラリンは意識不明のまま死んだって。ミミズは骨折しただけで生きてる。運転手さんも死んだの。首を切られたとか聞いた。あの子たち、タクシー襲ったんだってさ。ねえ、何が起きたんだろう。強盗かなんかしようとしたのかな、テラウチ。

あたし、どうしよう。こういう場合、どうしたらいい」

一気に喋《しゃべ》ってから、あたしはテラウチの沈黙に気付いた。

「どうしたの、聞いてる？　テラウチ、どうしたの」

テラウチはのんびり感じられるほどゆっくり言った。

「嫌だなあ、そういう結末って」

「嫌だよ、勿論《もちろん》。だけど、死んじゃったって言うんだもの、どうしようもないじゃん。あたしすげえショックだよ。これって、あたしのせいだよね。ね、どう思う」

あたしは取り乱していた。二人が死んだのは全部あたしのせい、そう思い込みかけていた。チャリと携帯を盗られたのに警察に言わなかった、何度もミミズと連絡を取った、逃亡を応援していた。あたしたちって、大馬鹿者。犯罪者。テラウチは静かに慰めてくれた。

「トシちゃんが慌てることないよ。あんたはそんなに悪くないもの。悪いのはきっとあたしだよ」

「何で」

「運命を変えたから、かなあ」

テラウチは謎めいたことを呟《つぶや》いて、首を回しているようなコキコキという耳障りな音を立てた。

「何の音」

「目覚まし時計合わせている音」

「もう一回寝るの？」

あたしはテラウチの図太さに呆れた。テラウチがどう思って、何を考えているか、なんて想像もしなかった。いや、気にも留めなかった。あたしは自分のことしか考えていなかったのだ。この先、大人たちに責められるであろう自分を。今思えば、テラウチが目覚まし時計を合わせたのは、自分のタイムリミットを決めたのかもしれない。

「そう、もう一回寝る。じゃあね、トシちゃん。頑張れよ」

何を頑張れ、というのだろう。あたしだけが頑張るのか。あたしはテラウチの冷ややかさが不思議だったけど、腹立ちを抑え切れなかった。最初から傍観者だった自分はオッケーって訳ね、そう思った。だから、あたしは携帯を力を籠めて切った。あれがテラウチとの最後の交信だったのに、あたしは力いっぱいボタンを押したのだ。親指の腹に残るボタンの感触。逆に、次に電話したユウザンの反応はあたしを勇気付けてくれただけに、あたしの怒りは更に助長されたのだった。

「キラリン死んじゃったのお」ユウザンは叫ぶなり、激しく泣きだした。「どうしてそうなっちゃうの。オレ、許せねえよ。ミミズ殺してやるよ」

「それよっか、ユウザン。あたし、キラリンの死に責任感じてるよ。きっとあたしが間違ったんだ」

「それを言うなら、オレが一番罪深いよ。オレがチャリ届けて、ミミズに携帯やっちゃったんだからさ、オレの責任だよ。トシはそんなことない。それにキラリンだって自分から会いに行ったんだから、ある意味、自業自得のとこあるって。オレたちみんなでミミズの逃亡を面白がっていたんだからさ。キラリンが死んだことはすっごいショックだけどさ、そんなに気にするなよ。責任は皆で取ろうよ。トシは一人で悩むことないよ」

ユウザンの言葉を聞いているうちに、あたしは初めて、隣の家のガラスが割れたのは実は世界の終わりの始まりだったのだ、と思い知った。あの日から、すべてが少しずつ変わっていって、今日がそのトドメなのだ。底の底だ。ふと、テラウチの声が地底から響くようだったことを思い出しかけたが、キラリンの死の方がショックだった。あたしはベッドに倒れ込んだ。キラリン、ほんとに死んじゃったの。八重歯を覗かせて笑う顔や、驚いた時にする弾むような眼差《まなざ》しが脳裏に蘇《よみがえ》って、あたしは泣いた。ああ、ほんとに死んじゃったんだ。キラリンとは二度と会えないんだって。

「トシ、大丈夫かよ」

握った携帯から、ユウザンがあたしのことを心配する呼びかけが聞こえてくる。あたしは、うんうんと頷《うなず》きながらも、溢《あふ》れる涙を抑えることができなかった。気付いたら、部屋のドアが開いていて、母親が蒼白《そうはく》な顔で立っていた。

「東山さんの家に行った方がいいんじゃない」

あたしはユウザンに、またかけるから、と言って電話を切った。ユウザンも泣きじゃくっていて返事がなかった。

キラリンの家に電話をすると、今度は留守番だという女の人が、何もわからないから、と繰り返すだけで葬儀の日にちも未定だ、と陰気に答えた。あたしは何をしたらいいのかわからなくなり、うろうろと部屋中を歩き回ったのだった。

午前十時頃から、あたしの家にもマスコミの人から電話がかかってくるようになり、あたしは自分の部屋のカーテンを閉めた。すると、ミミズの父親が訪ねて来た。長野の病院に入院している息子に会いに行く前に、ミミズとキラリンとの接点をあたしに確かめたくて来たのだと言う。アスコットタイを締めていた洒落者《しゃれもの》の父親はげっそりとやつれ、不幸な老人に見えた。うちの前を素知らぬ顔で歩いていた時の傲慢《ごうまん》な面影は微塵《みじん》もない。

「うちの息子と、東山さんのお嬢さんはどういう知り合いだったのでしょう」

「あたしもわからないんです」

あたしは嘘を吐《つ》いた。そうですか、と呟いたミミズの父親は、突然、掃除もしていない玄関の三和土《たたき》に土下座した。

「本当に本当に、この度はご迷惑をおかけして申し訳ございません。あなたのお友達を死なせてしまいまして、何てお詫《わ》びしていいのか見当も付きませんが、どうぞお赦しください。あいつも一生をかけて、皆さんに償《つぐな》っていくのだと思います。私の監督不行届きというには、あまりにも無惨な事件で、私も息子を司法に引き渡すしかありません。いっそ死んでお詫びしたいほどです」

いい歳した中年男が、ミミズのために高校生のあたしに謝っている。違うんだよ、おじさん。あたしたちはミミズと一緒に遊んでいたんだ。結果的には、あなたの奥さんを殺したことを面白がっていたんだよ。あたしは何も言えずに立ち尽くしていた。どう振る舞っていいのかわからなかったのだ。しかし、これらの出来事はテラウチの死の前の、まだほんのとば口だったのだ。

「朝から何も食べてないでしょう。少し食べなさいよ」

ベッドで寝転んで泣いていたあたしを母が呼んだのは、夕方近かった。あたしが階下に下りた、まさにその時、電話が鳴った。あたしは母を制して自分で取った。自分にかかってきた電話だという勘が働いた。あたしが下りて来るのを待ってた、と言わんばかりの鳴り方だったから。

「十四子さん。さっき和子が自殺しました。悪いんだけど、あなた宛の遺書があるので、すぐこちらに来て開封していただけませんか」

あたしの頭の中が真っ白になった。よく真っ白になる、という話は聞くけど、ほんとに真っ白になった。ホワイトアウトって奴。手足をどう動かすのか忘れてしまったみたいに呆《ほう》けてしまった。

葬儀社の人が悲痛な面持ちで線香の台を置いた。テラウチの遺体は、早々と検視を終えて帰って来た。白い棺《ひつぎ》の中に横たわっているテラウチ。テラウチの顔には白い覆《おお》いが掛かっている。あたしは胸元で組み合わされたテラウチのどす黒くなった指先だけを見た。落ちた時にぶつけて内出血したのだろう。顔は見られないから、損傷しているのかもしれない。あの綺麗な顔はどうなっているんだろう。馬鹿だな、飛び降りなんて。顔見られないじゃん。あんたとお別れできないじゃん。あんたの死に顔見たかったのに。

「何て書いてあったんですか」

テラウチの母親が、あたしにもう一度尋ねる。

「誰にも見せるな、とあります。だから言わない方がいいのではないでしょうか」

あたしはやっとのことで答えた。あたしの母親が困った様子で身じろぎした。母の言いたいことはわかっていた。それはないでしょう、十四子。寺内さんの実のお母さんなのよ。見せてあげなさいよ。教えてあげなさいよ、と。

「だったらいいけど、どんなことが書いてあるのかは知りたいわ。親なんだもの」

テラウチの母親が諦めたように肩を落とし、ぽつりと呟いた。内容をかいつまんで言うのならいいだろう、とあたしはもう一回手紙に目を走らせたけど、要約が苦手だから全く頭に入ってこなかった。テラウチだったら、要領良く、しかも強調すべきところは強調して説明したことだろう。にしてもテラウチ、悪文だよ、これ。おめー、文章、下手糞《へたくそ》だよ。まず理解するだけでも、百回読まなくちゃならないじゃん。それでも、あたしは何とか説明した。

「つまり、自分はもともと哲学的な人間で、この世の中とは相容れないものがあるので、生きていくのがとても疲れた、と書いてあります。そして、それは友達であるあたしにしかわからないから誰にも見せるな、とあります」

「受験のことですか」と、テラウチの母親。

「じゃないですか。あたしにもよくわかりません」

「そうよね。十四子さんもショックなのに、こんなこと聞かれたって困るわよね」

テラウチの母親はふっと笑いを見せた。遺書に書かれたテラウチと母親の確執がどんなものか想像もできないけど、テラウチの母親も娘の気持ちをわかっていたのだと感じさせる微笑だった。

「あたし、和子にこんなこと言われたの。東山さんの事故のことを聞いた和子があたしに向かって、『あんたのせいだよ』って。どういう意味だったんでしょうね」

あたしはテラウチの遺書のその部分を目で追った。『恥じて書けない』。あんたは恥ずかしかったんだね。あたしの母親があたしの肩を揺する。

「見せてあげなさい、十四子。いくら見せるなって寺内さんが書いたって、親には見る権利があるわよ。あなた宛のものだからといって、自分のものだけにはできないんじゃないかしら」

権利。そうだろうか。あたし宛でも、テラウチの手紙はあたしのものではないのか。あたしには思考力がなくなっていて、母にがくがくと揺すられるままになっていた。あたしはそれでもテラウチの手紙だけはしっかり握っていた。テラウチが、母親のことと、警察に密告《チク》ったことで死んでいくとあることだけは、誰にも知られたくなかった。特に、テラウチの母親には。

「いいですよ」割って入ったのはテラウチの父親だった。「無理に見せなくていいです。それが和子の遺志なら尊重してやろうじゃないですか。まだそこにいて、きっと見ているはずだから」

父親の言葉で、あたしたちは一斉に白木の棺を見つめた。中であいつは笑っているよ。壊れた顔を歪めて。あたしはテラウチの整った顔の造作を思い出した。もうその顔を見ることはできないと思うと、つい今朝方、電話で話したことが嘘のような気がしてきて現実感を失いかけていた。

「テラウチ、バカーッ」

背後から大声が聞こえた。ユウザンだった。ユウザンはTシャツにワークパンツというぃつもの格好で肩を怒らせている。棺を見た途端、ユウザンはぼろぼろ落涙して床に突っ伏した。

「どうしちゃったんだよ、みんな。キラリンも死んだっていうし、あたしどうしたらいいかわかんない」

その通りだった。あたしもどうしたらいいのかわからなかった。混乱。いつも「オレ」と言うユウザンが「あたし」と自分を呼んでいる。そんなことに気付く、妙に冷静な自分もいるのだ。しかも、テラウチの次は、調布のキラリンの家に行かなくちゃいけない。キラリンの顔もおそらく見ることができないだろう。二人ともクラッシュ。見事に崩壊した二人。何で？　あたしは次々と起きていることがまだ飲み込めない。これってすべてはあたしが悪いの？　あたしがミミズのことを警察に言わなかったせい？　また考えが堂々巡りする。ミミズがあたしの携帯で三人に電話して、ユウザンがチャリをあげて、面白がったキラリンが会いに行って、テラウチが密告《チク》って。どうなってるんだろう。こんな映画あったな、輪舞、ロンド。古いか。あたしは次第に気が遠くなりかかったが、映画のようにうまく気絶はできないどころか、不思議に醒《さ》めていた。

高三の二学期というのは、何となくよそよそしい。久しぶりに会ったクラスメートたちも忙しそうで、二人の死についてじっくり語ろうという雰囲気はまるでなかった。多い順にガリ勉系、運動部系、渋谷クラブ系、コギャル系、オタク系、その他もろもろ、とうちのクラスはうまく棲《す》み分けられているから、その他系の中でも一番訳のわからなかったグループに属するキラリンとテラウチの死は、あまり実感の伴わないものだったようだ。キラリンの事件は週刊誌にも取り上げられたし、ワイドショーにも登場したので、その手の話が好きな連中はあたしの方をちらちら窺《うかが》って、聞きたそうにしていたが、あたしは知らん顔していた。キラリンとミミズの派手な事件の陰で、テラウチの自殺は目立たなかった。ただオヤジたちの読む週刊誌が一誌、「後追い自殺」をした同級生がいる、と報じただけだった。

「トシちゃん、激瘦《げきや》せしたね」

おかっぱ頭のハルがあたしの前に立ち塞《ふさ》がった。新しく出来た彼氏がイケてないと言ったとかでヤマンバスタイルをやめたハルは、モード系に変身していた。が、厚化粧のせいで眉も睫《まつげ》毛も薄くなったハルにはいまいち似合っていない気がする。

「そうかなあ」あたしは自分の頰《ほお》に手で触れた。「自分じゃ気付かないけどね」

「無理ないよ。あたし、キラリンとテラウチのことでマジ、ショック受けちゃってさ。だから、変わろうと思って髪切ったんだよ。彼氏とか関係ないの。自分が今までダサイと馬鹿にしていた者になってみようと思ってさ」

「世界変わった?」と、あたしは聞いた。

「変わったよ。声をかけてくる男がね」ハルは薄い眉を開いて笑った。「あたしのこと、珍獣みたいに見ていた奴らがほいほい声をかけてくるんだ。塾なんか凄《すご》いよ。でも、たいした男いないからどーでもいいけど。トシちゃん、塾に全然来ないじゃん。冬期は申し込むの」

あたしは迷って視線を宙に浮かせた。塾、受験。あのことが起きる前は、もうじきだ、もうじきだ、と焦って暮らしていたけど、今は遠く感じられてならなかった。

「わかんないな」

「そうだよね。あんたキラリンともテラウチとも仲良かったからショックだったでしょ。あたしさ、キラリンは前からそんなに好きじゃなかったんだよ、実は。あの子って、割とぶりっ子だったでしょう。ほんとは遊んでいる癖に、あんたたちと一緒にいる時は真面目《まじめ》くさってるっていうか。死んじゃったら、そんなこと言うの可哀相だよな、とか思うけど、やっぱテラウチほどには感じないんだよね」

確かに、人の死には軽重があった。ミミズの母親の死はとっくに忘れ、キラリンの死はあたしにはただただ悲しいだけだった。あの子ともう会えないと思うと、あの子が優しくしてくれたことや、面白いことを言った時の情景が浮かんで辛かった。キラリンに対しては、条件反射のように涙が浮かぶ。けど、テラウチは違う。テラウチの自殺は、ものすごい力で、あたしの心の中にあったものを強固にしたり、空っぽにした。つまり、ぐちゃぐちゃに混乱させたのだ。そして、それは今も片付けられないままになっている。悲しいは悲しいけれども、虚《むな》しさを感じるところまでも行かず、いったい何が起きたの、という感じであたしはまだ呆然としていた。その空洞はあたしを、動作ののろまな考え込む女にしてしまったみたいで、あたしは始終、他人から不思議な顔で見つめられたり、要《い》らない同情を集めたりしていた。

「ユウザンってどうしたの」

ハルがあたしに尋ねた。ユウザンはテラウチの葬儀の後から、連絡が取れなくなった。一度、新宿二丁目のバーから電話があったが、女友達が出来たので当分家には帰らないかもしれないけど、見かけなくても心配しないで、ということだった。ユウザンは新しい恋人に依存して、傷を癒《いや》すつもりなのだろう。それはユウザンが同性愛者として生きる決意をした、ということでもあった。テラウチの葬儀後、ユウザンはテラウチの遺書があたし宛しかなかったことに傷付いていたのだ。

「トシちゃん、テラウチの遺書があったって本当？」

葬式の直後、ユウザンは穿《は》き慣れない制服のスカートをたくし上げるようにしてあたしに近付いて来た。その顔はすでに戸惑っていた。ユウザンはテラウチが好きだったはずだ。だから、テラウチが死ぬ前に自分にひと言もなかったことが堪《こた》えていたのだ。わかっていたけど、あたしは嘘を吐けなかった。だって、そうじゃないか。嘘を吐いたところで、あたしがもっともらしい話を作れる訳はないし、また重荷を背負う気もなかった。それくらい、あたしはテラウチの秘密を受け取った重さで倒れそうだったのだ。

「本当だよ」

あたしは天井のシャンデリアをぴかぴか照り返す斎場の床を見ながら答えた。キラリンは密葬だったが、テラウチの葬式は新築の斎場で執《と》り行われたのだった。両親の係累や親類縁者、学校関係者、同級生、大勢の人が蟬《せみ》の声が響き渡る中庭で、テラウチの棺を見送った。自殺だと普通、もっとひっそりやるんだけどねえ、という遠戚らしいおばさんの非難めいた囁《ささや》きが聞こえてきたが、あたしはテラウチらしいや、と思っていた。予想外の結末。テラウチだったら、そう言って笑ったに違いない。

「どんなこと書いてあったの」

あたしは、テラウチの母親に言ったような、通りいっぺんのことを口早に伝えた。ユウザンは悔しそうに唇を嚙《か》んだ。

「ふうん、オレのことは何も言ってくれなかったんだ」

「誰のことも書いてなかったよ。自分の性格のことだけだった」

「にしたって、どうしてトシちゃん宛なワケ。オフクロ宛でもなくてさ」

ユウザンは虚ろな表情をした。あたしは首を振った。

「わかんないよ。テラウチが何を考えていたかなんて、誰にもわからなかったじゃん」

「そうかなあ」とだけ言って、ユウザンは口を噤《つぐ》んだ。

おそらく、自分には伝わっていた、と続けたかったのだろう。キラリンも生きていてテラウチの死に直面したら、ユウザンと同じことを言ったかもしれない、とあたしは思った。テラウチは自分では誤魔化したつもりでいても、あたしたちはテラウチの屈折や美意識を時には好ましく、またある時は自分のもののように痛く感じていたのだった。

「あーあ、遣《や》り切れないよ、オレ。みんな、いなくなるんだもの」

ユウザンは男の子の仕草っぽく、拳《こぶし》で涙を拭《ぬぐ》った。あたしがいるじゃん、とは言えなかった。ユウザンとあたしは、テラウチの遺書という大事なものを挟んで、川の両岸に分かれてしまった感があった。

「寂しいよね」

「トシはいいよ、まだ。家族揃《そろ》ってるし、幸せじゃん」

あたしはユウザンに更に対岸に追いやられた気がした。あたしが幸せだろうか。あたしは自問する。テラウチから最後のメッセージを託されたあたし。テラウチが持っていた暗闇を照らし出した、とテラウチは書いていたけれども、あたしを照らし出してくれるはずのテラウチはさっさと先におさらばしてしまったではないか。あたしがぼんやりしていると、ユウザンはあたしの肩を叩いた。

「携帯のことだけど、心配することないよ。あれってオレの名義だからさ。カンケーねえよ。警察何も言って来ないだろ」

確かに妙だった。二人の死から三日経ち、隣のおじさんの話では、ミミズは奇跡的に外科的な怪我だけで内臓は大丈夫だったらしく、ちゃんと喋れるから事情聴取も受けていると聞いた。だが、警察は何も連絡して来ない。

「じゃ、また」

ユウザンは外股で歩いて行ってしまった。似合わない夏の制服を着て、背中にはいつものデイパック。デイパックのジッパーにキーホルダーが付いているのに気付き、あたしはユウザンの後ろ姿をずっと眺めていた。五月の連休前に四人でふざけて撮ったプリクラのホルダーだった。

「山中さん、少しお時間いただけますか」

斎場の門の陰で、女性刑事があたしを待ち伏せしていた。少し離れた場所に、いつもコンビを組んでいるらしい初老の男も立っている。女性刑事はつばの広い白い帽子を被り、陽除《ひよ》けのためか首筋にスカーフを巻いていた。まるでキャディじゃん、と思いつつも、あたしは審判を受けるために立ち止まった。

「この度はショックなことが相次いで、お気の毒ねえ。お葬式なのにごめんなさいね、こっちが涼しいから行きましょう」

二人はあたしを斎場の脇にある小さな公園の木陰に誘った。テラウチの葬儀に出席した人々が項垂《うなだ》れてあたしたちの横を擦《す》り抜けて行く。

「あなたの隣の少年と東山さんの出会ったきっかけがどうしてもわからないの。ご家族も知らないって言うし、お隣のご主人も知らないらしいし。東山さんの通話記録にも一切お隣の番号はないし」

あたしは勇気を奮って聞いてみた。

「隣の子は携帯持ってないんですか」

ええ、と女性刑事は手帳を見ながら頷いた。良かった。ミミズが捨てたんだ。あたしは小躍りしたい気分になり、お前だけが助かりたいのか、とすぐさまその気分を恥じた。

「あたしもびっくりしてます。偶然知り合ったんじゃないのかな」

「そうかしら」

女性刑事は顔を上げた。その目に猜疑心《さいぎしん》が表れている。初老が口を挟んだ。

「少年はそう言ってるけどね。だけど、東山さんはあなたと仲良しだったでしょう。これはあなたが二人を結んだとしか思えないんだよね」

「あたしは知りません」

「でも、あなたは東山さんの亡くなる前の日に電話で話しているわ」

突如、これって何かに似ているとあたしは思った。駅前での勧誘。アンケート野郎にモニターおばさん、手相娘。嘘を吐け、嘘を。ホリニンナ、おめー、エセが得意じゃんか。

てめえのことはてめえで守らなきゃ。テラウチの声が耳許《みみもと》で聞こえる。

「それはたまたま用事があったからで。あたしはキラリンがどこにいるのかなんて知りませんでした。いつものように映画の話なんかして切りました」

腋《わき》の下を冷たい汗が流れた。あたしは何かを守ろうと必死だった。でも、それは自分の罪だけではないような気がした。

「あら、そう」女性刑事は不本意な顔をする。「それから、こちらの寺内さんが自殺されたのも、事件と関係あるんじゃないのかなあ。寺内さんは東山さんと電話で喋っているから、そこで、少年と同行していることで喧嘩《けんか》とかしたのかしらと思えてならないの」

「テラウチってそんな奴じゃないです」あたしは言い張った。「そんな奴というのは、他人のために死ぬとか、そういうことだけど。馬鹿じゃないです。あいつは、もっと頭が良くて、感受性が強くて、すごくカッコ悪いというか、カッコイイというか、よくわからない奴で。でも、そんなつまらないことで死んだりしないです」

言ってる端から涙が出てきた。不思議なことに、あたしがテラウチのために泣いたのは、その時が初めてだったのだ。女性刑事は困ったように顔を顰《しか》めた。

「ごめんなさい。じゃ、その辺りはまた別の機会にでも聞くとして。にしても、わからないのよね」と、連れと目を合わせる。初老が頷きながら、手で蚊を追った。

「寺内さんの遺書というのは、あなた宛だったそうですね。そこに何が書いてあったのかな。実はね、警察に情報を寄せる電話があったんだよね。それが寺内さんだった、という気がして。あなたたち仲良しグループは、隣の少年が逃げているのを知っていて、皆で応援していたのではないかと。それを寺内さんが知って、怒って通報し、思いがけない事故で東山さんが亡くなられたので、責任を感じて寺内さんは自殺したのでは、と考えたんだけど」

あたしは唖然《あぜん》としていた。他人の口から語られると、実にアホらしい話だった。だからこそ、あたしは嘘を吐かなくてはならない。あたし自身を守るのではなく、多分、ミミズのことを聞いた時に感じたあたしたちの真実みたいなものを。あるいは、ミミズが母親を殺してしまった瞬間のようなものを。それは誰にもわからないものだから。

「作り過ぎじゃないですか」

あたしは涙を拭いて、呆れる。

「ねえ、出来すぎだよね。いくらあなたたちだって、そこまで馬鹿じゃないよね」

刑事の口調は厭味《いやみ》だったが、あたしは気にならなかった。女性刑事が手帳を閉じたのが見えたので、追及を諦めたことを知ったからだった。

「まあ、少年からも聞いてみます」

それきり、警察は来ない。

あたしはテラウチの葬儀で起きたことを思い出してぼんやりしていた。ハルがあたしの目の前で掌《てのひら》をひらひらと動かした。

「だいじょぶ、あんた？　ちょっとぼやっとしてるよ」

あたしは笑ってみせた。

「大丈夫。いろんなことあったからさ」

「じゃ、落ち着いたらまた塾においでよ」

ハルはずり落ちるルーズソックスを上げながら優しく言った。あたしはバイバイと言った後、これってテラウチの最後の言葉じゃないかと苦笑する。

家に帰って部屋に入ったら、机の上に手紙が置いてあった。知らない男からだった。何だ、この手紙。あたしは机の前に座って心を落ち着かせてから封を切った。今でも封書を見るたびにどきっとする。

前略

見知らぬ者からの突然の手紙で驚かれたことと思います。僕は早稲田大学に通っている坂谷渉《さかやわたる》という学生です。以前、東山さんとお付き合いしていました。東山さんのお母さんから、山中さんの住所を伺ってこの手紙を書いています。東山さんとはしばらく音信不通だったのですが、この度、事件のことを知って大きなショックを受けています。東山さんが亡くなったなんて、今でも信じられません。とても悲しいです。

東山さんが亡くなられたことを僕が知らされたのは、警察官の訪問によってでした。というのも、東山さんが亡くなる前日、僕の携帯に被疑者から電話があったからなのです。そして、事故当日、東山さんの携帯に僕が心配の電話を入れたためです。前日の電話はホテルの記録、当日は当然のことながら東山さんの携帯の通話記録から僕が割り出されたのでした。

僕には何が起きたのかよくわかりませんが、自分の過失のような気がしてならないのです。こんなことは誰にも言えないので（言ったところでわからないだろう、という意味です。自分の過失を隠そうということではありません）、思い切って山中さんに手紙を書いています。

もっと詳しく書きますと、僕の電話のせいで、東山さんがあの事故に遭ったのではないかと思われて仕方がないのです。あるいは、僕が以前、東山さんとうまくいかなくなったことで、こういう結末になったのではないかと。

僕が東山さんの携帯に電話したのは、何かあったのかな、という単純な心配だったのですが、東山さんは最初は喜んで話してくれて、最後は寂しそうでした。僕はあの時、「もう一度付き合おうか」と言いたかったのです。でも、前の日の変な電話のせいで、東山さんが変わってしまったのではないかと不安があってどうしても言えなかった。東山さんに対して疑心を持ったのです。再度、電話を入れようと一瞬思ったのですが、やめてしまいました。もし、あの時にそう言っていたら、そしてもう一度電話をかけていたら、東山さんはあの少年と一緒に行動しなかったのではないでしょうか。

仮定の話が無益だとは思えません。僕はおそらく、東山さんという女の子のことを一生考えて生きることになるでしょう。もし、たら、だろう。こんなことを考えてばかりいるのはやめろ、という人は負い目を持たない人です。あるいは、「一瞬」を持たない人です。この間、いろいろ考えてきましたが、僕は自分の抱えた負い目と共に生きる決意をしました。その思いは時に強くなったり、薄まったりするかもしれませんが。

東山さんが亡くなられた同じ日に、東山さんの仲のいいお友達も自殺されたとお母さんから聞いて、僕は山中さんが本当に気の毒になりました。僕以上に、あなたの方が仮定の中で苦しんでいるのではないかと推察したのです。そうだとしたら、気の毒なことです。さっきも書きましたが、僕たちは負い目（あなたにはないかもしれませんが）と共に生きるしかないのだと思います。想像。それが生き残った者の務めです。

もしかしたら、余計なことを書いたような気もします。だけど、僕はあなたという手紙を書く相手がいて助かりました。読んでくださって有り難うございました。

坂谷　渉

あたしは抽斗《ひきだし》に仕舞っていたテラウチの遺書を取り出し、ワタルの手紙と並べた。二通にどこか共通点があるような気がした。

『あたしたちはお互い様なんだよ。要するに、トシちゃんはあたしの死を受け止めるべきなんだ』

受け止めたよ。あたしはテラウチに言った。バイバイ、テラウチ。あたしは生き残ったミミズやユウザンと、あんたとキラリンのことを考えて生きるよ。ワタルはキラリンのことを考え、隣のおじさんはおばさんのことを考える。

あたしはもうカラオケに行っても、ホリニンナなんてエセ名前は書かないだろうな、と思った。急に涙が溢れてきて、「山中十四子様」というテラウチの字がぼやけた。

解説──「世界」を動かす四人の女

斎藤　環

桐野夏生さんの小説は、まるで「関係性のピンボール」だ。作品世界が設定され、そこに複数の登場人物が描かれるや、みるみる複雑な関係性のネットワークが繁茂し始め、次第にネットワークそのものが前景化していく。まるでネットワーク自体が状況を生み、次第に固有の意志を持ちはじめるかのようだ。

桐野さんはどうやら、最初に緻密《ちみつ》なプロットを立ててから、それを肉付けしつつ小説を書くというタイプの作家ではない。キャラクターを操作するうちに、当初は予想もしなかった関係性が見えてきて、そこからあらたな物語が生み出されていく。桐野さんはその過程を、巧妙に作品に取り入れる。これは、よく言われる「キャラクターの一人歩き」といった事態に近い。ただし桐野さんの場合、動き出すのは人物だけとは限らない。まるで関係そのものが自律性を獲得していくかのようなのだ。

だからなのか、桐野さんの作品は、しばしば従来のジャンル分けになじまない。『OUT』がミステリー作品に分類されてしまうのはやむを得ないとしても、では『グロテスク』はどうだろう?『I'm sorry, mama.』は? あるいは最近作の『魂萌え!』は? いずれも、とびきりウェルメイドな小説であるのは間違いないとして、しかしその「分類」はふしぎなほど困難だ。しかし、だからといって、これらを「桐野ワールド」などと粗いくくりでとらえようとすれば、今度は「桐野夏生」の普遍性がみえにくくなってしまう。私はかつて、彼女の「可能性の中心」について論じた際、かりにそれを「関係文学」と名付けたことがある(「『関係の科学』としての桐野文学」『The COOL! 小説新潮別冊桐野夏生スペシャル』所収)。関係文学とは何か。さまざまな欲望を持つ人物が登場し、他の人物と関係しあう。諸関係は欲望のベクトルに干渉し、そこに思いも寄らなかった行為をもたらし、行為の連鎖は人々をいっそう抜き差しならない状況へと追いつめる。このような構図がもっとも見えやすい作品として、たとえば『光源』を挙げておこう(それにしても、こんな形で映画制作の現場を描いたフィクションが、いまだかつて存在しただろうか!)。このとき作品世界の「リアリティ」を保証するのは、「関係」そのもののダイナミズムだ。

　小説的リアリティを担保する要素は、複数ある。作家自身の体験や、緻密な考証といったリアリズム要素。作家自身の情念やナルシシズムといった、心理的要素。人物造形の魅力から「萌え」に至るまでのキャラクター要素。描かれている気分から思想に至るまでの社会学的要素。しかし少なくとも、私の知る限りの桐野作品は、このいずれの要素においても突出してはいない。やはり決定的に重要なのは、関係的要素、これである。精神科医ながら文芸批評の真似事にも手を出した経験をふまえて言うなら、桐野作品は、まさにこの関係的リアリティの強度において、ほとんど圧倒的である。

さて、桐野さんの小説には、共通するもう一つの特徴がある。

「四人の女」だ。

たとえば『OUT』に描かれるのは、弁当工場でパート勤務する四人の女、主人公格の香取雅子と、博打《ばくち》とDVに明けくれる夫を殺してしまう弥生、寝たきりの姑の世話に追われるヨシエ、浪費の挙げ句のローンで苦しむ邦子だ。『グロテスク』はどうか。私立の名門、Q女子高の同級生である「わたし」と、完璧な美貌を持つその妹ユリコ、「わたし」の同級生であり、外部生である劣等感を不器用な努力で克服しようとする和恵と、その和恵がどう頑張っても敵わない優秀な内部生ミツルの四人。最近作『魂萌え！』にも四人組が登場する。夫を亡くしたばかりの主人公・関口敏子とその高校の同級生たちだ。派手好きの資産家未亡人でホセ・カレーラスの追っかけをするわがままな栄子、家族思いで合理的な美奈子、人一倍お洒落で、セレクトショップを経営している和世。

そして本作『リアルワールド』にも、女子高生四人組が登場する。主人公の「ホリニンナ」こと山中十四子。男らしくエキセントリックなレズビアンの

「ユウザン」こと貝原清美、可憐で純粋に見えて実は遊んでいる「キラリン」こと東山きらり、頭が良くてクールで面白い「テラウチ」こと寺内和子の四人だ。四人の組み合わせには、ほかにも共通点がある。たとえば四人組の役割分担として、「美女」担当（弥生、ユリコ、和世、キラリン）、「頭脳」担当（雅子、ミツル、美奈子？、テラウチ）、「下品あるいは病理」担当（邦子、和恵、栄子、ユウザン？）の存在は、ほぼ共通しているようだ。「美女」担当がよく悲惨な目に遭うとか、「下品」担当の存在感がしばしば突出しているなどの傾向もあるが、問題は「なぜ同性四人なのか」という点だ。たとえば二者関係はしばしば密室化に至りやすい。三者関係は、二対一の緊張関係に陥りやすいため、疑似家族的な関係性を反復してしまいがちだ。あるいは、そこに一人でも男が紛れ込むと、ヘテロなカップリングへの期待が関係のダイナミズムを殺してしまう。おそらく同性四人組とは、新しい物語を生み出していくうえで必要とされた最小単位なのだろう。

　そこに一種の触媒として、外部から男性＝他者が投入される。『ＯＵＴ』なら佐竹、『グロテスク』ならチャンの存在がこれにあたる。ならば本作『リアルワールド』ではどうだろう。

　高校生四人組の、それなりに平和で安定した関係がかき乱されるのは、ホリニンナの隣家に住む男子高校生「ミミズ」による母親殺しがきっかけだった。そもそもはミミズに自転車と携帯を盗られたホリニンナが、警察にはそれを隠しておこうと考えたことが発端なのだ。通報してしまえば他者は他者のまま、物語の中には入れない。しかしホリニンナは通報を断念することで、結果的にミミズと関係を持つほうを選択してしまう。この選択によってユウザンが、キラリンが、テラウチが、それぞれにミミズと関係を持ち、物語が回りはじめる。彼女たちの口癖である（そして、リアル女子高生も好んで口にする）「あたしに関係ない」のセリフが、ここでは実に皮肉な効果を上げている。

とはいえ、これらの関係は、なにもミミズを中心とした放射状の関係ではない。むしろミミズとの関わりにおいて、四人がそれぞれに持っていた「裏の顔」ともいうべき側面があらわにされることになるのだ。なによりテラウチが、ミミズとの関係においてはっきりした残り三人の性格の違いを見事に分析してみせている（一八七頁）。かくして四人の関係そのものが変質しはじめ、最終的には四人それぞれを決定的な行為へと至らしめることになる。それがどんなものかは、ここには書かずにおこう。もちろんキーワードは「取り返しの付かないこと」である。

これは、四人の中でももっとも思慮深くならざるを得なかったテラウチの言葉だ。テラウチだけはミミズを軽蔑している。なぜなら母親殺しは、わかりやすい結末ではあるかもしれないが、「取り返しの付かないこと」ではないからだ。そんな結末を選ぶことは敗北に近い。本当に取り返しが付かないこととは、「永久に終わらなくてずっと心の中に滞って、そのうち心が食べ尽くされてしまう怖ろしいこと」だ。それは人を破滅させる。そしてテラウチは、自分と母親の関係において「取り返しの付かないこと」を抱え込み、その結果、別の意味で決定的な行為に至ってしまう。ここではっきりするのは、テラウチもまた、彼女固有の「リアルワールド」に閉じこめられていた、という事実のほうだ。

このテラウチの独白部分は、本書でも白眉《はくび》ともいうべき箇所だ。おそらく「取り返しの付かないこと」という言葉は、物語をつむぐ桐野さんの中に不意に降りてきた言葉ではなかっただろうか。ここだけは桐野さんが言いたかったことというよりは、むしろ物語に憑依され言わされてしまっているかのような、異様な迫力がこめられている。

テラウチの言葉には、関係性を読み解く重要なヒントが含まれている。「あたしの大好きな、ぐるぐる巡る想念」(二四四頁)こそは、関係がもたらすものではなくて何だろうか。これは、精神分析で言えば「転移」に該当する。それでは、何が「転移」するのか。「欲望」である。正確には「欲望を想像すること」であり、『残虐記』からの引用で言えば「欲望を想像すること」である。相手の欲望を想像することが関係の本質であり、その想像をやめられなくなることが「取り返しの付かないこと」なのだ。そのことは、キラリンの元恋人だった男性からの手紙にも、はっきりと記されている。

そうなのだ。「他者の欲望を想像すること」から、人はリアルとヴァーチャルの双方に開かれた存在となる。女性が「ファンタジー」と「リアリズム」双方への、一見矛盾した親和性において男性を凌駕《りょうが》しうるのは、ひとえにこの想像力、つまり「関係への才能」ゆえではないか。桐野さんがしばしば、虚構的リアリティが「現実」に拮抗《きっこう》しうる、と語るのは、その意味からもまったく正当だ。虚構は「現実」の劣化コピーなどではない。少なくともすぐれたフィクションは、「現実」からある要素を抽出して再構成された「別の現実」なのである。もちろん桐野さんがとりだす要素は「関係」なのだが、それだけでは十分ではない。彼女は作品世界の中で、「関係の自律」に強い「構造への意志」を拮抗させる。そうすることで生み出される物語が、関係文学としての「リアルワールド」なのだ。

最後に一言。本作品の単行本の表紙には、私が偏愛するアウトサイダー・アーティスト、ヘンリー・ダーガーの絵が用いられていた。奇妙な偶然と言うべきか、私の処女作『文脈病』の表紙もダーガーの挿絵だった。孤児だったダーガーは、約六十年間にわたり、親密な対人関係から隔絶されたひきこもり生活を余儀なくされていた。かくも絶対的な孤独が生み出した一万五千頁にわたる物語については、拙著『戦闘美少女の精神分析』（太田出版）を参照されたい。ダーガーの絵画作品は、すべてこの大長編の挿絵として描かれている。清純な少女達が、邪悪な大人たちと激しい戦争を繰り広げる世界。孤独な老人の、このうえなくリアルで切実な欲望がもたらした、かくも非現実のファンタジー。そう、これもまた別の「リアルワールド」なのである。

この作品は二〇〇三年二月、集英社より刊行されました。

集英社文庫　目録（日本文学）

北方謙三　危険な夏―挑戦Ⅰ
北方謙三　冬の狼―挑戦Ⅱ
北方謙三　風の聖衣―挑戦Ⅲ
北方謙三　風群の荒野―挑戦Ⅳ
北方謙三　いつか友よ―挑戦Ⅴ
北方謙三　愚者の街
北方謙三　愛《いと》しき女たちへ
北方謙三　傷痕　老犬シリーズⅠ
北方謙三　風葬　老犬シリーズⅡ
北方謙三　望郷　老犬シリーズⅢ
北方謙三　破軍の星
北方謙三　群青　神尾シリーズⅠ
北方謙三　灼光　神尾シリーズⅡ
北方謙三　炎天　神尾シリーズⅢ
北方謙三　流塵　神尾シリーズⅣ
北方謙三　林蔵の貌《かお》(上)(下)

北方謙三　そして彼が死んだ
北方謙三　波《は》王《おう》の秋《とき》
北方謙三　明るい街へ
北方謙三　彼が狼だった日
北方謙三　罅《ひび》・街の詩《うた》
北方謙三　皸《ひび》・別れの稼業
北方謙三　草莽《そうもう》枯れ行く
北方謙三　風裂　神尾シリーズⅤ
北方謙三　風待ちの港で
北方謙三　海嶺　神尾シリーズⅥ
北方謙三　雨は心だけ濡らす
北方謙三　風の中の女
北方謙三　コースアゲイン
北川歩実　金のゆりかご
北川歩実　もう一人の私
北村薫　ミステリは万華鏡

北森鴻　メイン・ディッシュ
北森鴻　孔雀狂想曲
木村元彦　誇り　ドラガン・ストイコビッチの軌跡
木村元彦　悪者見参
京極夏彦　どすこい。
桐野夏生　リアルワールド
草薙渉　草小路鷹麿の東方見聞録
草薙渉　黄金のうさぎ
草薙渉　草小路弥生子の西遊記
草薙渉　第8の予言
工藤美代子　哀しい目つきの漂流者
邦光史郎　やってみなはれ―芳醇な樽―
邦光史郎　坂本龍馬
邦光史郎　世界を駆ける男(上)(下)
国谷誠朗　孤独よ、さようなら―母親離れの心理学
熊谷達也　ウエンカムイの爪

集英社文庫　目録（日本文学）

熊谷達也　漂泊の牙
熊谷達也　まほろばの疾風《かぜ》
熊谷達也　山背郷
倉阪鬼一郎　ブラッド
倉阪鬼一郎　ワンダーランドin大青山
栗田有起　ハミザベス
栗本薫・選　いま、危険な愛に目覚めて
黒岩重吾　幻への疾走
黒岩重吾　夜の挨拶
黒岩重吾　女の太陽(I)茜色の章
黒岩重吾　女の太陽(II)孤翳の章
黒岩重吾　女の太陽(III)花愁の章
黒岩重吾　さらば星座　全13巻
黒岩重吾　女の氷河(上)(下)
黒岩重吾　新編　とうがらしの夢
黒岩重吾　落日はぬばたまに燃ゆ

黒岩重吾　黒岩重吾のどかんたれ人生塾
小池真理子　恋人と逢わない夜に
小池真理子　いとしき男《ひと》たちよ
小池真理子　あなたから逃れられない
小池真理子　悪女と呼ばれた女たち
小池真理子　蠍《さそり》のいる森
小池真理子　双面の天使
小池真理子　死者はまどろむ
小池真理子　無伴奏
小池真理子　妻の女友達
小池真理子　ナルキッソスの鏡
小池真理子　倒錯の庭
小池真理子　危険な食卓
小池真理子　怪しい隣人
小池真理子／藤田宜永　夫婦公論
小池真理子　律子慕情

小池真理子　短篇セレクション サイコ・サスペンス篇I　会いたかった人
小池真理子　短篇セレクション 官能篇　ひぐらし荘の女主人
小池真理子　短篇セレクション 幻想篇　命日
小池真理子　短篇セレクション ミステリー篇　泣かない女
小池真理子　短篇セレクション ノスタルジー篇　夢のかたみ
小池真理子　短篇セレクション サイコ・サスペンス篇II　贅肉
小池真理子　肉体のファンタジア
小池真理子　柩《ひつぎ》の中の猫
小池真理子　夜の寝覚め
神津カンナ　親離れするとき読む本
神津カンナ　男と女の交差点
神津カンナ　美人女優
神津カンナ　恋人論
河野啓　よみがえる高校
河野美代子　新版 さらば、悲しみの性 高校生の性を考える
河野美代子／永田由紀子　初めてのSEX あなたの愛を伝えるために

集英社文庫　目録（日本文学）

五條瑛　プラチナ・ビーズ
五條瑛　スリー・アゲーツ
御所見直好　誰も知らない鎌倉路
小杉健治　絆
小杉健治　二重裁判
小杉健治　汚名
小杉健治　裁かれる判事
小杉健治　夏井冬子の先端犯罪
小杉健治　最終鑑定
小杉健治　検察者
小杉健治　殺意の川
小杉健治　宿敵
小杉健治　特許裁判
小杉健治　不遜な被疑者たち
小杉健治　それぞれの断崖
小杉健治　江戸の哀花

小杉健治　水無川
古処誠二　ルール
小林カツ代　アバウト英語で世界まるかじり
小林紀晴　写真学生
小林恭二　悪夢氏の事件簿
小林光恵　気分よく病院へ行こう
小林光恵　12人の不安な患者たち
小林光恵　ときどき、陰性感情 看護学生 理実の青春
小檜山博　地の音
小山勝清　それからの武蔵㈠㈡㈢㈣㈤㈥
今東光　毒舌・仏教入門
今東光　毒舌身の上相談
今野敏　惣《そう》角《かく》流《る》浪《ろう》
今野敏　山嵐
斎藤栄　黒い王将
斎藤栄　殺意の時刻表

斎藤栄　水の魔法陣(上)(下)
斎藤栄　火の魔法陣(上)(下)
斎藤栄　空《くう》の魔法陣(上)(中)(下)
斎藤栄　ガラスの密室
斎藤栄　風の魔法陣(上)(下)
斎藤栄　雪の魔法陣
斎藤栄　アルプス秘湯推理旅行
斎藤栄　月の魔法陣
斎藤栄　タロット日美子の夢街道旅行
斎藤栄　冬虫夏草《とうちゅうかそう》の惨劇
斎藤栄　真夜中の意匠
斎藤栄　人《じん》の魔法陣
斎藤栄　蒙古襲来殺人旅情
斎藤栄　東北新幹線殺人旅行
斎藤栄　棋聖忍者・天野宗歩全8巻
斎藤栄　タロット日美子 日本のエーゲ海殺人事件

集英社文庫　目録（日本文学）

斎藤栄　悪魔を見た家族
斎藤栄　謎の女真教団
斎藤栄　殺人フェアウェイ
斎藤栄　紅《くれない》の天城高原
斎藤栄　タロット日美子運命の時刻表
斎藤栄　タロット日美子　鎌倉十二神将の誘拐
斎藤栄　悪魔が裁く
斎藤栄　平成元年の殺人
斎藤栄　女高生俳句殺人事件
斎藤栄　謎の幽霊探偵
斎藤栄　天の魔法陣
斎藤栄　新版　ミステリーを書いてみませんか
斎藤栄　日本列島殺人旅行
斎藤栄　花の魔法陣
斎藤栄　羅生門殺人旅情
斎藤栄　大和路殺人事件

斎藤栄　JR近郊線ミステリー全集　江戸川警部　三つの死線
斎藤茂太　イチローを育てた鈴木家の謎
斎藤茂太　骨は自分で拾えない
齊藤令介　動物と暮らす
佐伯一麦　遠き山に日は落ちて
三枝洋　熱帯遊戯
早乙女貢　血槍三代（青春編）
早乙女貢　血槍三代（愛欲編）
早乙女貢　血槍三代（風雲編）
早乙女貢　会津士魂一　会津藩　京へ
早乙女貢　会津士魂二　京都騒乱
早乙女貢　会津士魂三　鳥羽伏見の戦い
早乙女貢　会津士魂四　慶喜脱出
早乙女貢　会津士魂五　江戸開城
早乙女貢　会津士魂六　炎の彰義隊
早乙女貢　会津士魂七　会津を救え

早乙女貢　会津士魂八　風雲北へ
早乙女貢　会津士魂九　二本松少年隊
早乙女貢　会津士魂十　越後の戦火
早乙女貢　会津士魂十一　北越戦争
早乙女貢　会津士魂十二　白虎隊の悲歌
早乙女貢　会津士魂十三　鶴ヶ城落つ
早乙女貢　歴史に学ぶ「叛逆者」の人生哲学
早乙女貢　続会津士魂一　艦隊蝦夷へ
早乙女貢　続会津士魂二　幻の共和国
早乙女貢　続会津士魂三　斗南への道
早乙女貢　続会津士魂四　不毛の大地
早乙女貢　続会津士魂五　開牧に賭ける
早乙女貢　続会津士魂六　反逆への序曲
早乙女貢　続会津士魂七　会津抜刀隊
早乙女貢　続会津士魂八　甦る山河
酒井順子　ギャルに小判

集英社文庫

リアルワールド

2006年2月25日　第1刷

定価はカバーに表示してあります。

著者　桐《きり》野《の》夏《なつ》生《お》

発行者　加藤潤

発行所　株式会社　集英社

東京都千代田区一ツ橋2―5―10

〒101-8050

電話　03（3230）6095（編集）

03（3230）6393（販売）

03（3230）6080（読者係）

印刷　凸版印刷株式会社

製本　凸版印刷株式会社

Printed in Japan

ISBN4-08-746010-X C0193